La collection
ROMANICHELS
est dirigée par
André Vanasse

Dans la même collection

Flora Balzano, *Soigne ta chute*

Louis Hamelin, *Ces spectres agités*

Christian Mistral, *Vautour*

Marcel Moussette, *L'Hiver du Chinois*

Lise Tremblay, *L'Hiver de pluie*

La maison rouge
du bord de mer

La publication de cet ouvrage a été rendue possible grâce à l'aide financière du Conseil des Arts du Canada et du ministère des Affaires culturelles du Québec.

XYZ éditeur
C.P. 5247, succursale C
Montréal (Québec)
H2X 3M4

et

Hugues Corriveau

Dépôt légal: 2ᵉ trimestre 1992
Bibliothèque nationale du Canada
Bibliothèque nationale du Québec
ISBN 2-89261-061-3

Distribution en librairie:
Socadis
350, boulevard Lebeau
Ville Saint-Laurent (Québec)
H4N 1W6
Téléphone (jour): 514.331.33.00
Téléphone (soir): 514.331.31.97
Ligne extérieure: 1.800.361.28.47
Télécopieur: 514.745.32.82
Télex: 05-826568

Conception typographique et montage: Édiscript enr.
Maquette de la couverture: Serge Cinq-Mars
Photographie de l'auteur: Liette Corriveau

Hugues Corriveau

La maison rouge
du bord de mer

roman

Romanichels

Ils pourraient reposer dans la paix et la sécurité. Mais il faudrait auparavant que le soleil qui lorgne à travers les fourches de leurs corps projette sur eux son aveuglante lumière: ils peuvent en faire des choses qui valent la peine d'avoir un corps!

Elfreide Jelinek,
Lust

Yachar la voit étendue, endormie juste au bord de la plage. Elle a douze ans et elle est nue. Yachar aime Ismïa au point que son trouble se voit à travers le pantalon de toile blanche et sous la grande blouse amarante qu'il porte depuis l'aube. Elle est assoupie, toute donnée à sa beauté d'enfance. Yachar découvre que son ventre palpite, que quelque chose de nouveau y agit. Il perçoit la sueur lourde de la nuit qui descend le long de son cou, l'esprit embrumé par des rêves insolites, encore fragile au bord de refaire le jour à sa mesure, au bord de dire oui à l'aube, au recommencement blanc du matin. Il se tourne vers la brillance exaltée du soleil, regarde le jaune ombreux, le ciel imprenable, et hume la mer. Il parvient à se réinventer, à se plonger au creux du réel qui recommence.

Cette nuit, il a dormi dans un petit pavillon sur le bord de la plage. Il n'y a rencontré qu'un couple de jumeaux insolites qui ne lui ont même pas parlé. À peine les a-t-il vus, s'est-il préoccupé de leur existence, reclus qu'ils sont dans une chambre retirée, inséparables. Il s'est installé là de la même manière que s'il se fût agi d'un lieu abandonné, pour que la fièvre noire des murs le protège dans son sommeil. Il a cru pénétrer une caverne favorable, un antre paisible. Sortilège étrange, il s'est immédiatement trouvé prisonnier de la beauté du lieu.

La veille, sur un coup de tête, Yachar et Ismïa ont décidé de tout abandonner, de s'enfuir quelques jours. Quand ils ont quitté le hangar où ils avaient trouvé refuge depuis quelque temps, ils ne savaient pas où aller. Ils ont pris la direction de la mer, poussés par une irrésistible impulsion.

Ismïa ne sait pas que Yachar est déjà venu la voir dormir, caché derrière le grand cèdre près du pavillon ou couché sur les pierres plates près de la plage. Elle dort, abandonnée à la mer qui lui lèche les pieds, qui semble vouloir la ramener à elle, l'aspirer jusqu'à la folie douce. Elle est nue et pubère. Au commencement de ses rêves, elle voit toujours passer des colombes et des ibis, elle entend la cigale au milieu de l'herbe près des arbres. Elle repense aux si lointaines savanes toutes envahies par des animaux étranges et par des légendes de rapts et de voyages secrets. Chacun de ses souvenirs lui rappelle les prédictions de ses grand-mères, les oracles creux de ses

oncles. Pour que passe au-dessus d'elle la flèche itiné-
rante et rose des flamants de la baie, il lui faut renverser
la tête comme elle le fait chaque fois que le rêve des ibis
la hante et la ravit. Elle a dormi à même le sable, sans
s'inquiéter de rien, ni des bêtes qu'on prétend effrayantes,
ni du rampement insidieux des insectes souterrains, ni
du froid placide de la nuit et de la lune. Elle savait que
Yachar était dans le pavillon; elle ne craignait pas la
solitude de l'espace devant elle. Ismïa n'a pas voulu de la
chaleur de la chambre, des bras de Yachar, de la tendresse heureuse. Elle a souhaité le rêve marin mêlé à l'as-
sourdissant mouvement de l'eau, elle a préféré se jeter à
corps perdu au cœur de l'isolement parfait de la plage.

La tranquillité marine est ici extrême; on y est en-
voûté par la stridulation des insectes et le ressac des
vagues à jamais confondus. Plus tôt, Ismïa s'est réveillée,
peu de temps avant que n'arrive Yachar. Elle aurait pu
croire qu'il s'agissait bel et bien du tout premier réveil
auquel elle se donnait vraiment. Ismïa a découvert lentement la douceur de revenir au monde, l'exacte solitude
de l'aube. Elle a d'abord pressenti la naissance du soleil
avant de le voir surgir de la brume océane, juste à la
ligne si mince qui séparait la nuit du jour. Elle en a vu le
surgissement foudroyant et a retenu le vent sur sa peau.
Quand naissent toutes les aubes du monde, quand le
jour se lève, quand le vent vient l'émouvoir après la
frayeur des rêves ou des cauchemars, Ismïa reconnaît
alors son besoin pressant d'être belle.

Ismïa pense à Yachar qui est nu lui aussi sous les
décombres du vent. S'il venait à la voir, il s'approcherait

peut-être. Et elle imagine ses yeux éblouis qui la regarderaient en ce moment, au centre du flottement, du spasme intérieur, du bruissement rose des bruyères. Elle songe à des cerisiers en fleurs comme si le Japon avait eu vent de son contentement, lui renvoyait l'odeur miraculeuse de la cannelle. Elle veut la mer, elle est la mer sur le sable renversé. Dans l'étroite impulsion qui la chavire, viennent à elle des hennissements lointains, des sons surgis de l'enfance et des contes que parfois elle entendait, que les hommes se racontaient autour des feux et des bivouacs.

Ismïa n'a pas encore voulu que Yachar la prenne. Ils attendent depuis deux semaines maintenant que le moment soit propice. Elle est un peu lasse de faire venir seule dans son ventre le revirement du monde. Elle voudrait que Yachar soit près d'elle pour qu'il sache combien, de la mer, elle garde en elle le tremblement et la convulsion. Mais Yachar a cette patience parfaite des heures qui s'écoulent irrémédiablement en paix, tout empreint de douceur, une persévérance d'insecte qui bruit et qui séduit. Yachar n'est rien d'autre que cette attente exacerbée chaque fois qu'ils se frôlent. Ismïa le sait, mais elle espère que le jour vienne afin qu'elle puisse connaître ce qui est le secret de son corps.

Ismïa regarde la mer et a le goût d'en sentir la pression sur ses cuisses, le ravissement, quand chaque vague semble vouloir entrer en elle par son amande ouverte. Elle s'est étendue sur le sable devant la marée solaire du vent et des odeurs emmêlés. Elle s'étonne de voir l'eau la convoiter à chaque lancement qui la ramène vers elle. Elle ouvre les jambes et montre à chaque vague cet entrecuisse cuivré qui se fend devant l'avidité de l'eau. La fraîcheur de l'air l'assèche et elle retombe lentement. Son rêve d'être une femme dans le jour, d'être aussi accompagnée par son ibis sacré, par le battement de ses ailes, refait surface. Elle l'imagine toujours planant, protecteur qui incessamment l'escorte dans sa vie. L'oiseau a le bleu immédiat de ce qui fait du ciel un permanent gardien des songes et du plaisir.

Elle pense que tantôt Yachar va venir, qu'il la reverra ici à l'abandon. Il n'y a plus les bruits de la rue, les crieurs et les fureurs de la ville. Ismïa oublie presque ce qu'ils sont obligés de faire pour vivre les jours de rues et de fuites. Elle n'a presque plus de souvenirs de ce qu'ils sont, de la turbulence des boulevards et des marchés nécessitant trop leur attention. N'existent plus que cette tranquillité maussade de l'heure, que cet évanouissement qui suit les gestes et l'amour. Et elle est emportée sans inquiétude vers des paysages orientaux qui sentent aussi la cardamome et la muscade, qui goûtent la fleur d'oranger après l'orage.

Yachar s'approche doucement d'Ismïa pour ne pas réveiller la brusque mesure des vagues, pour que se continuent la moiteur de l'aube, l'incroyable dérangement du vent au-dessus du désert. Il respire lentement. Il sent la même odeur des fleurs de cerisiers qui, depuis le Japon, répandent leur blancheur sur les rêves d'Ismïa. Elle est plus belle encore que la veille. Elle est si nue qu'il ressent sa propre peau comme une carapace. Il a cette impression d'être enfermé dans un carcan étroit. Il ne pourra en sortir que le jour où lui et Ismïa se seront enfin unis. Il s'avance vers elle parmi le bruit des élytres et des insectes, et il siffle un chant doux pour ne pas l'effaroucher. Le vent retrace ses rêves. Il vient près des cheveux, près de la senteur de henné répandue, il s'étourdit de l'odeur même d'Ismïa.

Il imagine entrer au jardin d'Ismaël, redécouvrir les grottes du Néanderthal. Tout se mêle de ses visions et de ses désirs. L'ombre des arbres couvre l'espace secret de son enfance. Il se rappelle qu'il ne pouvait jouer aux os percés que sous les feuilles toutes fraîches de midi, quand la chaleur était si torride qu'il eût mieux valu être couché sur la nasse et chercher à conquérir des continents secrets et d'immenses territoires hostiles. Il n'aimait rien tant que l'eau de l'étang près du village, près de cette sorte d'oasis formée autour de quelques arbres chenus et des herbes sèches. On pouvait parfois y trouver suffisamment d'eau pour s'y baigner, pour que l'odeur de sable sorte un peu des pores de la peau.

Quelque part en lui se mêlent les souvenirs du monde devant la beauté de la jeune fille, là étendue. Il croirait presque que la blancheur de l'air ou l'or des soulèvements aériens transportent de la neige sur le profil si blanc, si doré d'Ismïa.

Alors, Yachar prend l'orange que, la veille au soir, il avait apportée. Elle sent le jus chaud, le fruit pris par la douce humidité de l'aube. Il la hume et la passe doucement sur ses joues comme s'il s'agissait des mains d'Ismïa, comme s'il allait y retrouver une fraîcheur de peau soyeuse. En mordant l'écorce, il sent le goût de zeste amer lui fendre les lèvres, jeter en lui une troublante impression de frissons souples. Il fait éclater la pulpe sur sa langue, submergé tout entier par le désir du sucre frais et des rêves d'orangeraies infinies que trouble à peine la montée d'une bourrasque au-dessus des frondaisons. Il fait gicler du jus sur sa face et se mouille les yeux de l'évidence orange des choses du monde. Le matin est parfait et il mange le fruit en plein soleil tout en sachant que son corps est aussi vivant que possible, qu'il appelle le bouleversement neuf qui est le sien depuis quelque temps. Il se mouille de l'odeur sucrée du fruit frais, il s'asperge en pressant sa rondeur sur sa tête pour n'être plus que cette envie particulière dans la chaleur.

Yachar tremble, dépasse Ismïa allongée et se met dos à la mer. Il entre dans le champ des jambes ouvertes, écueil de chair emportée où une main va retrouver les profondeurs de l'antre. Tout à coup, elle bouge à peine un doigt, descend la main vers sa fleur, ouvre les cuisses, car son désir est plein de volupté. Elle étend les bras et va vers sa touffe à l'ouverture des jambes. Elle flatte sa vulve au rythme doux du vent. Elle sourit à Yachar, le voit et le prend tout entier dans ce regard qui l'enveloppe tout à fait. Il est ébloui par la course circulaire de la main, du bras, du mitan qui s'ouvre. Il regarde avec le regard neuf de celui qui ne sait pas l'exacte différence de l'autre. Ils ne parlent ni l'un ni l'autre. Ils ont comme un respect sacré du jeu des corps. Il examine la vulve éclairée de soleil, blanchie de sel. Sa main descend sous son pantalon de toile, retrouve la turgescence déliée et presse la douleur de l'absente. Il voit la beauté même qui, ouverte, déverse sur la plage un liquide amoureux, la folie troublante du mouvement. Elle se touche devant les yeux émerveillés de Yachar. Elle fait des cercles dans son entre-jambes, elle trace des digues et des lacs, des tourbillons et des volutes.

Maintenant que la mer est ouverte à la chaleur du soleil, Ismïa ne cherche pas à lui cacher le brûlé enchevêtré de sa peau et du sable qui blondit sous ses cuisses. Elle tremble quand elle approche les doigts de la fente qui s'ouvre devant les vagues. Le frisson qu'elle ressent est un appel insolite. Son corps est si jeune. La plante de ses pieds est trempée par la montée des eaux. Elle met la douceur de la paume sur le derme. Et cette gigantesque impression d'exister pour elle-même lui confirme que son ventre s'offre. Elle aborde ses lèvres, ouvre le passage au plaisir qui se veut hardi et provocant. Elle relève les fesses, avale ses doigts dans la souplesse infinie du remuement du bassin et retire alors la main, se repose, attend, fait monter le désir. Elle saisit ses seins devenus durs sous le vent du jour, sous la moiteur éclatante de ce qui vient de se réveiller. Elle pose ses mains sur ses seins; et lisse, et souple, et nonchalante, elle presse et fait luire la volupté naissante, l'euphorie du souffle qui palpite. Les jambes ouvertes, elle tremble, chavire, se referme pour emprisonner la main, et elle met ses doigts en elle, atteint le liquide comme si elle allait pouvoir toucher le cœur, le faire jaillir. Elle pousse, va et vient, elle ouvre. Elle fait couler la cyprine, elle fait venir au monde une calme plainte qui forme avec son cœur une rose des vents, un joyau, une étincelle de nacre. Elle s'invente une ronde d'une lèvre à l'autre, une valse infinie. Elle prolonge en elle la folie de sa peau brûlée, elle s'étourdit, la tête renversée, elle se modèle par le trajet des mains sur son bassin. Ces jeux font en elle une valse d'odeurs. Rouges le goût du sang à la bouche, la pression aux tempes, les tempêtes. Ismïa arrive en haut de la vague de son ventre, elle palpe ses lèvres, les presse, fait de l'agitation circulaire de ses doigts sur la vulve l'impulsion du sang dans sa tête, sa respiration folle. Elle tremble, elle expire auprès de la mer en sueur.

Yachar est transporté devant la vision intime qu'il a d'Ismïa; il n'en peut plus de retrouver intact le même ravissement, le même éblouissement. Yachar sait que la jouissance sera bonne, aussi jaune que le soleil est éclatant, aussi extraordinaire que la tension tendre et folle qui fluctue dans ses testicules. Yachar a douze ans. Il sent l'orange sur sa peau, et voit dehors tout le renversement des eaux. Il tend son sexe sans prendre la peine d'enlever son pantalon et il presse son gland, il tire pour que la jouissance vienne aviver le regard, pour qu'il traduise son bouleversement entier. Il se tend vers Ismïa qui a les membres mouvants du mouvement des vivantes. Elle se presse, s'ouvre, se liquéfie, se prend dans la main, grenade andalouse, sorte de pervenche épanouie sur le bout de la branche. Le décor sent la réglisse et la garrigue; le lieu tombe sous le sens.

Elle pousse et pleure; et Yachar voit les larmes de celle qui le remplit de bonheur. Il masse son pénis et cherche à faire monter la sève. Il voudrait que l'enchantement le délivre un peu de cette attente infernale qu'il vit à cause d'Ismïa, à cause des craintes d'Ismïa d'être maintenant habitée par lui. Il veut jaillir sur cela, tout recouvrir, noyer l'image et le rêve en même temps. Il désire que son sperme fuse. Et elle laisse entre ses fesses couler le plaisir, montrée et béante, sur le chemin de l'autre. Ses jambes s'ouvrent dans le sens de Yachar, lui-même dos à la mer et mouillé de la mer elle-même.

Il est heureux de se savoir vivant parmi ce qui ressuscite autour de lui. Ses doigts descendent plus bas, jusqu'à la courbe de son pénis qui pointe vers la lumière et la chaleur. Le besoin de vivre est vif; il est perceptible dans le dessin du corps. Il laisse monter le désir, son arc dans la main et se donne le plaisir troublant du ventre, du jaillissement. Le dos d'instinct se courbe. Il est sans cesse atteint par le vent, par la brûlure insensée du soleil qui le réchauffe jusque dans son ventre, jusque dans son besoin de faire jaillir de lui un cri fragile, une tendresse chaude sous sa main. Il retient son pénis dans sa paume, humide du trouble qui bouge en lui. Il ne presse d'abord que du bout des doigts l'extrémité si sensible du sexe, le manipule délicatement, fait monter une onde de choc.

Il tâte son membre dressé, il regarde l'aube et ressent le passage discret du vent sur ses cuisses, perçoit la fragrance des fruits chauds. Il éprouve un étranglement à la gorge, une façon de renoncer à lui-même. Il pourrait croire que le souffle va lui manquer. Il met sa main gauche en coupe sous ses testicules, les tasse au creux de sa paume; et ce sont alors les jambes qui plient sous la douceur folle de son sexe enfin vivant devant la transformation de l'heure.

Mais il constate surtout la vague intérieure qui commence à le secouer. Il sait que ça monte, que ça vient, que là, sous sa main, son sexe brûle... que pousse en lui, de lui, une sève blanche, une liqueur... le dos courbé... il souffle, se plaint... il vient, lourd sous sa main, dans les testicules qui se serrent, qui ont des spasmes enfin aigus, qui le font crier, qui vont sortir de lui... la peau humide... la soif ruisselante à la main... lancée avec un cri fou... la sève qui jaillit enfin de lui... au milieu du vent... un coup de reins... et le réel éclate, n'a plus cours, n'existe plus. Yachar crie en ce matin, du sperme plein les mains, et il ressent la brûlure de son pénis. Il a eu une jouissance fulgurante et rapide, de la salive coulant autour de sa bouche comme s'il avait goûté au profil qui devant lui se répand. Il est venu violemment en des décharges brusques. Il est à genoux dans la mer, dos à elle, devant la fleur enfin libérée d'Ismïa qui, belle et sombre, se montre sur le sable de la plage, forcée au repos par l'épuisement, par la douleur de voir Yachar au bout de ses yeux.

Il relève la tête et voit passer l'ibis des rêves d'Ismïa, les colombes et le bruit des cigales. C'est une émotion renversante que de retrouver sur sa route ces oiseaux paisibles dont elle lui a fait cadeau. Elle a bien voulu les partager avec lui, elle qui n'en avait parlé à quiconque. Elle les avait protégés au creux d'elle-même comme un talisman secret, inviolable. Mais pour Yachar, la parole s'était dénouée, les ailes des oiseaux heureux déployées, dédoublées dans son esprit, tout entier enivré par les contes d'Ismïa. Il a reçu chacun des ibis avec un respect superstitieux, comme s'il ne fallait pas que s'effarouche un don si précieux, un cadeau aussi obscur.

Il regarde sans fin celle qui le comble et qui l'aide à vivre alors qu'elle est si près de lui. Il entend le chant secret du monde intérieur d'Ismïa. La toundra y parlerait de retrouver l'océan et la neige mêlés. Les steppes nordiques voudraient envahir tout entières l'espace immense du désert. Chaque parcelle des pensées d'Ismïa bouleverse le monde pour en refaire le partage. Tout ce qui vient d'elle lui semble magique.

Il voit que le soleil persiste et qu'il fera beau aujourd'hui. Il se redresse sans un bruit, son sperme sèche sur ses mains, et il se lèche les doigts pour redécouvrir le goût de son propre corps, ce qui vit dans ses testicules encore serrés. Dans un sourire, il quitte le filon ouvert des jambes d'Ismïa et se retire du côté des rochers plats, un peu sur la gauche, là où la tension des vagues se relâche. Il ira se baigner dans la mousse mouvante des vagues. Il s'écarte pour que la satisfaction persiste, pour que le souhait de revenir la voir plus tard s'accomplisse, pour qu'il ait, dans quelques heures, l'irrésistible besoin de la revoir, et peut-être bien, de la rejoindre enfin.

Il s'éloigne, contourne le premier rocher et se dévêt pour qu'il soit donné aux flots. Il enlève la blouse, puis le pantalon et dévoile son sexe enfin tranquille, recroquevillé sous sa gangue de peau, prépuce fermé sur le gland, les poils collés par la jouissance. Il y va pour une cérémonie, les jambes avalées, le sexe tout à coup happé, le corps enseveli, tourmenté. Il est dans la mer, il a douze ans et il aime Ismïa. Cette certitude lui paraît totalement suffisante.

Ismïa grelotte. Elle s'assoit et s'habille lentement. Elle voit les traces, se met debout, vérifie si elle n'apercevrait pas Yachar marchant sous la lumière de l'aube. Et elle suit les pas sur le sable, la piste fraîche que Yachar a laissée. Elle va vers les rochers plats du côté des grues et des pélicans. Elle se laisse guider par les marques dans le sable de la plage, cherche à mettre ses pieds dans les empreintes toutes mouillées. Elle va retrouver celui qui tantôt l'a regardée si longuement. Elle lui sait gré de n'avoir pas parlé. Le silence entre eux a couvert leurs gestes comme pour un rituel.

Elle sait qu'il se baigne, qu'elle a douze ans et que le monde ressemble à un enchevêtrement d'odeurs et de paroles, de gestes et de plaisirs. Il est dans l'eau, couché sur le dos, sur les vagues plus calmes du matin, et son sexe fait une fleur mauve à la tige souple sur le bas de son ventre. La touffe des poils noirs est un jardin, un nid, et les œufs sont là comme la fleur, comme l'épice. Elle est troublée par cette beauté mouvante au repos. Livré ainsi au passage de l'air, du vent et du regard, Yachar est beau. Elle lui envie cette souplesse qui se laisse porter par l'océan.

Ismïa se retient de se jeter à l'eau, d'aller rejoindre bruyamment celui qu'elle veut. Le monde repose autour d'elle. Elle s'assoit et regarde. Rien de plus que cette vision fluide au-dessus des choses de la mer. Elle en éprouve de l'apaisement. Rien ne peut plus la rejoindre, dirait-elle. Que cet amoncellement de silence et d'odeurs, que ce lassis de lumière sur les dunes proches. Plus aucun tourment urbain, plus de rupture en ce moment particulier de l'aube et du désir.

Refait surface alors l'étrange impression d'être de retour au pays natal, enveloppée par la tranquillité si parfaite du ruisseau et des chutes, par la mouvance aérienne des odeurs du village quand se tenaient les fêtes autour des aubes ancestrales. L'air charrie le souvenir de ces mouvements primitifs quand les êtres n'avaient pas de couleur spécifique ou de territoire particulier. Elle revoit comme en rêve la juste mesure d'ombre sous les baobabs, l'effort infernal de la fraîcheur pour venir à bout des torrides heures de midi. Tout ce qui surgit en elle tient à ce filet de salive qui coule aux commissures de ses lèvres; le liquide a un goût de lait si prégnant qu'elle croirait voir sa mère lui tendre la joue pour qu'elle lèche la sueur qui coule à son front.

Les tourments du vent reprennent subitement et la ramènent à elle. Elle scrute au-delà des vagues pour voir si les barques des pêcheurs du village ne vont pas revenir sous la vapeur d'eau qui brouille l'horizon. Mais elle est seule. Elle attend avant de rejoindre Yachar qui, là-bas, se repose. Malgré que lui reviennent ainsi de nombreuses évocations de son passé, elle joue avec cette passion de lui qui ne cesse plus maintenant de la harceler. La moiteur du sable et la fraîcheur de l'air font un gîte sur les côtes; plus un seul vol d'oiseaux à cette heure de boire et de manger.

Plus loin, sur sa gauche, Yachar revient en nageant, puis se remet sur le dos, attend que le soleil brûle son ventre. Cette ferveur fait penser à l'avidité des huîtres perlières.

Sans plus se demander ce qu'elle fera de ce moment privilégié, elle se décide enfin à approcher du lieu où il a laissé ses vêtements. Yachar est de toutes les personnes qu'elle a rencontrées dans sa vie celle qui a su le mieux la regarder, il est celui qui pénètre clairement les rêves qu'elle fait. Il flotte un air de chanson foraine, cadeau offert, coquillage souple et fragile; Yachar se donne à la mer et à Ismïa bien avant qu'elle ne l'ait pris. Il s'offre au repos et au rêve, bercé par le tremblement permanent de la terre en folie.

Elle s'approche plus près dans le silence innocent du matin encore jeune, et elle se dit que Yachar ne peut pas exister, qu'il est un djinn, une forme inhumaine qui va se dissiper avec la marée. Il ressemble aux êtres magiques des contes de son enfance, toujours près à disparaître sitôt qu'aperçus par un humain. Constance fragile de celui qui, là, se laisse aller à la confusion de l'eau. Le désert assèche l'air; et sur sa peau, depuis son réveil, elle en subit la braise, tel du bois mort. Elle touche aux vêtements de Yachar et les prend. Elle y plonge la face, elle les hume chauds, imprégnés dans leur forme. Elle y discerne le sperme et le désordre, y retrouve ce qu'elle-même a expérimenté, ce curieux mélange de gestes doux et de liquide répandu. Cette odeur n'est pas la sienne et pourtant ce qui vient de jaillir d'eux pourrait faire se lever l'effluve des pivoines ou des œillets. Il y a sur les vêtements de Yachar les arômes du monde, et Ismïa en subit un choc et une douceur mêlés. Elle voudrait ne plus distinguer que cette réalité, n'avoir plus de paysage que ces formes souples entre ses bras, entre ses mains. Elle crie dans le tissu pressé contre ses lèvres et elle se relève.

Elle qui avait mis une longue robe perlée, lentement, elle se déshabille et va à Yachar. Elle le rejoint, mais plutôt que de se précipiter vers lui, elle s'approche doucement, de façon obscure. Elle nage jusqu'à lui, couché sur les flots; elle va voir de plus près celui qui vient de lui faire signe avec son musc prégnant. Elle s'approche, plonge sous l'eau, sous lui et le touche sur les fesses qu'elle voit à travers la mouvance. Il se renverse et cherche la main qui a bien pu le réveiller ainsi et la voit émerger à côté de lui: pensée nouvelle dans la stupeur de l'apparition. Il considère Ismïa et comprend l'ampleur de sa présence en lui. Elle cache le paysage, elle forme elle-même une noix emportée par le courant. Il nage vers elle et se colle nu contre son corps nu, et tous deux restent hébétés dans leur étreinte. Il sent son sexe grandir, aller vers elle, vers son ventre. Il sait que l'attirance est immense, que là, vers où se dresse son membre, il va trouver une réalité chaude, une manière neuve d'être au monde. Il se colle à elle, s'appuie au ventre et à la peau.

Leurs corps sont immenses pour envahir toute la mer. Il n'y a plus qu'eux pour la peupler. Il s'appuie à elle qui ouvre les jambes en ciseaux, qui le prend par la taille au milieu de l'eau déchaînée, qui l'emprisonne entre ses cuisses, elle qui sent le membre dur contre son ventre, la surprise sensible de le savoir pris de désir, gros et tendu. Ils se regardent et approchent leurs lèvres. Les voilà mêlés, collés l'un à l'autre.

Puis, ils se séparent avec la placide complicité de l'océan, ils se laissent aussi sereins qu'ils sont venus l'un à l'autre. C'est calmement qu'ils vont nager le long du littoral, qu'ils attendent que passe l'heure du jour pour le réveil et les ébats amoureux. Ils nagent ensemble, longtemps, pour qu'ils se dégagent bien de la confusion créée tantôt. Chaque fois qu'ils se touchent, ils constatent qu'une décharge électrique les ensorcelle. Elle s'approche de lui, le séduit.

Et Yachar n'en peut plus. Il se défait de l'étreinte qu'à nouveau Ismïa vient de développer. Il la laisse à sa trajectoire de nage et fuit vers la grève, reprend ses vêtements et court dans le matin qu'il vient de vivre.

Elle le voit s'en aller ainsi sous la lumière et elle sourit. Son amour pour lui devient de plus en plus vif.

Elle le voit s'éloigner d'elle parce qu'elle n'est pas encore prête et qu'il le sait.

Il retarde par sa course le moment de connaître l'intimité d'Ismïa, il va loin d'elle savourer un peu plus longuement le temps de l'attente, celui qu'il faudra avant d'entrer en elle. Ce n'est pas qu'il la refuse, ce serait plutôt qu'il exacerbe son manque d'elle, sa passion. En courant, il revoit les jambes et le tourment de sa vulve. Tout en fuyant, il se projette en avant pour aller au plus vite vers cette minute qui ne saurait tarder. Autour de lui, ce n'est plus qu'un large panorama de pins maritimes et de roches. Il court au-devant de quelque chose qu'il perçoit magique et essentiel. Yachar a dans le cœur le ferment d'une révolution. Ce qu'il entrevoit, ce n'est rien d'autre que le recommencement de la tourmente avec elle, un approfondissement des choses. Yachar court au bout du monde pour retrouver des sensations intimes, les lieux catégoriques.

Ismïa s'extrait elle aussi de son rêve et le regarde s'éloigner. Elle sait maintenant que leur intimité ne saurait plus tarder à s'ouvrir sur l'autre côté des choses. Elle entreprend de l'attendre en sortant de l'eau. Elle se rend aux pierres plates qu'ils ont choisies et va retrouver la patience de regarder la mer, de tenter d'en déjouer l'uniforme recommencement. Elle s'assoit pour mieux lire les signes du soleil sur l'ardoise, les méplats des pierres, les rebondissements de la dune. Il lui faut tendre son esprit vers l'est et assumer la chaleur effrayante de cette heure-ci. Elle sait que Yachar n'est pas allé très loin. Tout au plus, s'agit-il d'un répit. Leur connaissance du monde n'est pas achevée, une remise à plus tard devra fatalement se produire. Pour l'instant, elle voit voler sur la crête d'une vague une volée de bécassines qui vont chercher des trous pour y mettre leurs becs courbes à la recherche de nourriture.

L e matin est souple autour d'eux. Quelques heures plus tard, Yachar est revenu et il a retrouvé Ismïa au même endroit, qui regardait de petits crabes dessiner des arabesques dans le sable. Il s'est approché d'elle et a soufflé dans son cou. Elle portait sa robe perlée, il avait remis son pantalon et sa vaste blouse amarante. Elle a penché la tête quand elle a su à son odeur que c'était lui; elle a replié la nuque pour rendre l'haleine plus chaude au moment où elle descendrait le long de son dos. Elle a penché la tête pour recevoir Yachar par son souffle, par la délicatesse des lèvres qu'il a posées sur sa peau.

Elle a écouté le coup au cœur, la détresse de son ventre toujours inhabité. « Tu es beau, dit-elle, tendrement.

Je t'ai trouvé très beau.» Elle rit de gêne, la tête enfouie parmi les plis de sa robe. Il cache aussi, en détournant la tête et en regardant ses pieds, sa propre timidité remontée jusqu'à ses joues. «Mais toi, Ismïa, mais toi, c'est... c'est quelque chose que je n'ai pas appris à dire. Tu es comme des mangues ou des orchidées... je goûte du miel en te voyant.» Leurs yeux examinent le sol. Ils n'osent se regarder ni l'un ni l'autre. La confidence se tient suspendue auprès d'eux, sorte de vol d'oiseaux, d'ibis bleus, de feuilles détachées d'un chêne.

Il se colle à elle, calant ses fesses dans le sable près des siennes. Et ils restent muets en se lovant bien au cœur de ce silence-là, savourant la qualité même de ce silence qui n'est qu'à eux, qui crée le mérite de leur heure particulière. Il tend la main vers elle, la prend, la regarde pour la première fois. Il prend chacun de ses doigts dans sa bouche, les goûte un à un pour redécouvrir le miel imaginé, la chaleur du sel et de sa vulve. Il met chacun des dix doigts d'Ismïa sur sa langue pour goûter, pour saisir un peu de ce qu'elle a recueilli de son antre tantôt, pendant qu'elle jouissait. «Tes doigts te goûtent, te sentent.»

Il faudrait que le temps se suspende ici, qu'il n'y ait plus qu'eux devant ce désert de la mer, devant cette présence du sable et des vols d'ibis et de colombes. Il faudrait qu'ils imaginent une enclave incomparable pour que le temps refasse à jamais sa boucle de bonheur, pour que se tende une sphère parfaite d'émotion et de naissance. Il faudrait que revivent immédiatement des paysages imaginés, leur enfance où ils trouvaient des mosquées aux céramiques multicolores élevées au-dessus des villages, des minarets splendides couverts d'or et de parfums de fleurs, des tours si hautes que l'océan, de part en part, était traversé du seul regard qu'on y jetait. Il faudrait que le paysage ait des soubresauts de légendes et des airs de contes merveilleux. Tous les Aladin du monde viendraient alors au secours de leur silence, se mettraient à ouvrir des cavernes secrètes dont les trésors se répandraient infiniment. Ils rêvent chacun à leur monde, à des délices ainsi imaginés et que seule la mer leur rend en mille battements.

Mais ils sont embarrassés par cette trop grande distance entre eux, de ce que rien d'autre n'ait pu se faire après l'aube passée, alors que le matin s'allonge sous le soleil. Pour l'heure, ils n'ont plus que leur longue attente en partage, que leur intense disposition pour le jour qui se prolonge. Tous les rêves qu'ils font se mêlent comme si la bousculade des pensées leur faisait un dôme invisible.

Yachar se languit avant de savoir ce que d'Ismïa lui est encore secret. Il savoure cette attente même avec cette grande patience dont il ne se savait pas capable jusque-là. Il s'installe pour voir le visage cuit de celle qui déjà tient tant de place dans sa vie, il prend ce visage-là dans ses mains. «Je ne croyais pas que tu pouvais exister. Ma grand-mère m'avait pourtant prévenu. Et voilà... tu es ici. C'est plus qu'il n'en faut.» Il apprécie l'étrangeté même de la savoir là; cette évidence n'a pas de nom, est un secret particulier. Il approche ses lèvres des siennes en se disant que ce baiser sera une autre fois le premier. Et cette constatation ouvre en lui l'aspiration pour toutes les autres premières fois avec elle.

Il ne voit plus de limite à ces découvertes nombreuses qui vont faire d'eux des êtres jeunes qui regardent le sable et l'eau avec la conviction que derrière eux le monde n'a plus de sens.

Leurs lèvres se collent à peine et le manque d'eux-mêmes accumulé leur fait un mal atroce. Il approche la langue, et la figue rouge se fend pour dessiner le baiser. Il met sa langue sur la sienne, et elle la mord pour qu'un cri de ferveur vienne aux lèvres de Yachar. Une plainte d'une douceur extrême qui aurait pu faire taire les oiseaux, monte, se hausse, s'élève si bien en eux qu'il leur semble que la braise de la lumière ne pourra plus jamais s'estomper. Il fait jour enfin et ils ont cette audace prodigieuse de poser les unes sur les autres leurs lèvres, ils ont cette assurance tranquille qui s'apprivoise.

Ils ont encore douze ans aujourd'hui dans la confusion de cette main qui se glisse vers le sein, dans cette autre qui, sur la cuisse, cherche la douceur et la sueur. Ils ont l'âge d'avoir des sexes, une manière bien à eux de le savoir. Yachar veut partir, s'enfuir ailleurs parce qu'il sait que ce n'est pas le temps de tout avoir, de tout savoir. Il cherche à se déprendre du sortilège, de l'ensorcellement du lieu. «Viens, dit-il, viens. Il faut que nous voyions avant.» Il repousse la bouche, la main et le désir, il se retire de la gravité même d'être si près d'elle. Il l'entraîne avec impulsion, ils forment ensemble ce mouvement de se lever quand le jour est totalement venu.

Et ils marchent. Le sens même de cette marche reste obscur, car ils passent devant les demeures de la plage sans jamais sembler les voir, ils vont vers le coucher du soleil, quand les oiseaux migrateurs passent derrière eux et crient et volent. Cela fait une clameur lugubre, l'air chauffe. Ils entendent tous ces cris d'oiseaux comme des présages incendiaires. Ils vont en direction du désert, juste au bout du monde, jusqu'au moment où, sur leur droite, se dérobe la maison rouge du bord de mer. Ne dit-on pas toujours qu'il ne faut jamais venir du côté des banians et des figuiers maudits. On dit que là se passe ce qu'il ne faut pas savoir; et ce qui s'y fait trouble les esprits, bouleverse tout à cause de la détresse même des cérémonies qui s'y déroulent. Yachar et Ismïa s'arrêtent alors avec l'instinct sûr d'avoir trouvé ce qu'ils cherchaient.

Déjà, ils s'éloignent de l'eau, vont un peu plus près des rochers, commencent même à s'y cacher. C'est une peur étrange qui leur vrille le ventre, qui les ensorcelle. Ils se doivent de franchir l'espace qui les sépare de cette maison interdite avec la plus grande discrétion. Rien de leur mouvement ne doit être deviné à l'intérieur de la demeure. Le fait qu'ils accomplissent cette visite dans le plus grand secret les laisse perplexes. Ils obéissent, à devoir le faire, à une urgence étonnante, occulte. Tout ce qu'ils veulent savoir du corps et des secrets doit se dérouler à l'abri de ces murs fauves qui les inquiètent.

Leur destin est ici marqué sous le soleil ardent de midi, près de la maison rouge du bord de mer, et ils cherchent à voir s'ils n'apercevraient pas quelqu'un. Mais ils ne remarquent rien, ne distinguent rien ici de tragique. Tout au plus, y a-t-il au-dessus du toit le cri si particulier d'une corneille. Mais c'est déjà suffisant pour réveiller en eux une peur atavique des choses énigmatiques. Ils ne savent pas pourquoi le silence qui les entoure prend une connotation si effrayante.

Derrière la maison, ils découvrent un jardin muré, avec des arbres en fleurs, des magnolias sans doute, et le bruit doux des cigales, et le chant à peine audible d'un oiseau dans une cage. Ils perçoivent aussi le souffle imperceptible d'un chant humain qui, pour une fois, ne parle pas de malheur. Ainsi, cette réalité s'impose près de la maison rouge où leur attente est clandestine. Mais ils veulent avoir la confirmation des choses qu'ils pressentent. «Pas avant», a dit Ismïa. Et ils sont venus regarder au bout de la plage la solitude sans obstacle, ce qu'elle peut garder de secrets et de gestes. Ils sont là qui s'approchent du mur, du côté où leurs ombres ne seront pas projetées; sur la gauche, ils escaladent un petit monticule qui touche presque aux fougères près de la porte. Ils ne font aucun bruit, car il faut qu'ils surprennent l'intimité de ceux qui résident là. C'est ainsi que les choses doivent se passer. Ils s'installent alors en un endroit d'où ils pourront avoir une vue plongeante sur la cour intérieure, d'où ils pourront surveiller ce qui s'y cache de si terrible.

Ils arrivent au moment précis où tout va se jouer. Ce qu'ils risquent, ils ne le savent pas encore, mais quelque chose du malheur, sans aucun doute, surplombe la cour. Mais le désir est plus fort que tout. Même si Ismïa se rappelle certains conseils de ses grand-mères, même si elle sait depuis longtemps qu'il ne faut pas tenter le diable. Elle accompagne Yachar qui, tout comme elle, est nerveux et tendu tellement la curiosité qui les gagne les fait trembler.

Lui, on dit qu'il s'appelle Czeslaw Krohn, et elle, Julia Égretaud. Ce sont les noms qu'on leur donne. Mais cela, ils s'en fichent totalement. Du moment qu'ils sont là et que les bruits du jour annoncent bien que les nerfs sont tendus, que la passion aura peut-être un chant et des couleurs. Ils regardent dans la cour et ne savent trop ce qu'ils cherchent.

Et à l'ombre d'un saule, ils aperçoivent Julia qui attend. L'heure passe sur elle, lentement, pendant que le jour de plus en plus s'affirme. Elle est étendue, nue et superbe, attirant le soleil à elle, ramenant ce que la lumière peut faire jouer de tons et de nuances près de sa taille qui bouge.

Ismïa et Yachar regardent ce corps surprenant, cette façon qu'elle a de se l'approprier complètement. Ils sont éblouis par sa facilité d'être nue, d'être à l'aise dans le vent qui lui fait une conque fragile autour des membres, bousculée qu'elle est par la lumière jaune dans la poussière. Leurs mains deviennent moites et chaudes. Ils savent que, pour la voir, ils auraient pu faire un voyage beaucoup plus long, que le détail même de ce corps au soleil accomplit une autre surprise du jour.

Elle ne fait rien d'autre que d'être étendue, dans la paix si parfaite de l'après-midi. Elle est couchée sur le sol, complètement occupée à ne rien faire d'autre. Elle tient à la main quelque chose d'indistinct, sorte de quille blanche et lisse. Elle lève l'objet devant ses yeux, le regarde attentivement, puis le passe sur son ventre. Il leur semble qu'elle se masse avec l'instrument pour polir sa peau, pour en faire ressortir le lustre clair à la lumière. Et tout en jouant avec l'engin, elle bouge sur le sable, elle ondule, dirait-on, de telle sorte que la vitalité des muscles se devine sous la chaleur. Julia est lascive. Yachar et Ismïa en ont une secrète certitude. Ils sont bouleversés par l'apparition de cette image. Ils veulent qu'elle poursuive longtemps ce geste de se masser. Elle dévoile mieux ainsi chaque courbe de ses muscles, chaque repli de sa beauté. Elle développe cette figure d'une femme jouissant de la chaleur de l'été. Alors, elle prend l'objet oblong et le déplace entre ses cuisses. Lentement, elle le fait jouer sur sa corbeille fluide. Elle passe et repasse l'objet entre ses jambes, se tord légèrement, se roule. Tout à coup, avec un mouvement très souple, elle fait pivoter la quille du plus gros bout au plus petit, le dépose sur son pubis, entre les jambes qu'elle ouvre de plus en plus, près de sa forge.

Ismïa sait qu'elle doit être mouillée dans l'entre-jambes, qu'elle va y mettre l'objet entier, le faire entrer en elle. Elle délire et imagine qu'il pourrait s'agir de Yachar qu'elle-même réclame en elle, en ce moment, en une fulgurante évidence. Il ne peut pas en être autrement. Yachar ne peut pas se trouver ailleurs qu'en elle. Elle regarde Julia se tendre de nouveau, les jambes largement ouvertes vers eux, et insérer l'objet au milieu de sa chair. Elle crie. Yachar en est convaincu. Elle geint, à cause de la douceur de la pénétration. Yachar n'en revient pas qu'on puisse s'amuser avec des outils aussi étranges. Elle pousse et repousse l'objet en elle pour faire monter la sueur jusqu'au tournoiement des odeurs au soleil. Yachar rêve au parfum de Julia. Il essaie de deviner ce que serait cette intimité des choses avec elle.

Il essaie d'imaginer le corps d'Ismïa au milieu de cette cour, sous ce même saule, et il se prend à rêver d'elle dans la moiteur du jour, à elle qui aurait des mouvements si voluptueux, des contours si précis qu'il n'aurait plus qu'à tendre le bras pour qu'elle l'embrasse tout entier. Ce n'est plus dans sa tête qu'un immense incendie des sens et du désir. Tout s'assèche autour de lui. Il voit le bouleversement d'Ismïa, entend son souffle court, perçoit à quel point tout cela les trouble.

Tout à coup, ils aperçoivent Czeslaw qui sort de la maison. Ils le voient, nu et splendide, venir vers la femme en riant, en regardant les gestes provocants de Julia, en s'approchant d'elle alors qu'il flatte son sexe et qu'il le fait grandir, sa tension pointée vers elle. Julia le voit venir sous l'éblouissement de la lumière et elle continue le va-et-vient de l'instrument qui ressemble à un godemiché; et ses poussées se font plus douces, plus provocantes encore. Czeslaw vient vers elle, avec sa beauté d'homme, et cherche à montrer la puissance extrême de son érection. Il se penche vers Julia, l'embrasse, l'enlace. Tout cela se fait dans un calme surprenant.

Les enfants ne comprennent pas pourquoi eux-mêmes sont si tendus, si effrayés par ce qu'ils voient. Rien pourtant n'est précis dans leur esprit, mais ils sentent que le risque du jeu auquel ils assistent est grand.

Czeslaw tend la main vers le ventre pour prendre la quille. Yachar croit qu'il va se révolter, qu'il va lancer au loin l'objet de remplacement. Et il constate plutôt que Czeslaw le pousse entre les lèvres de Julia, le fait pivoter dans le vase juteux de la femme qui se plaint et se tord sur elle-même. Elle dit tout bas des choses que Yachar et Ismïa n'entendent pas.

Mais ils comprennent que le plaisir est aussi une plainte parfois douloureuse et sombre, que le corps a des façons de jouir inconnues et curieuses. Yachar regarde Ismïa pour savoir si elle aussi est prise dans cet ahurissement, dans cette connaissance nouvelle, avec la ferveur heureuse de savoir. Et elle regarde Yachar avec cette hébétude, cette perplexité qui les rend complices. Ils se serrent plus fort l'un contre l'autre et regardent le couple exalté qui joue en une sorte de ballet surprenant.

N'est-ce pas le sexe de l'homme que la femme vient de mettre dans sa bouche, n'est-ce pas cette grosseur sortie des poils sombres que Julia avale avec envie, levant la tête, prenant le membre à pleine bouche, tirant sur le gland, mordant, pendant que l'homme en elle fait jouer la quille blanche sur la peau si rose de son moule? N'est-ce pas avec la ferveur de la chaleur un même cri de douleur fauve qui monte de la cour intérieure, couvrant la stridulation des insectes, la frayeur des oiseaux de proie? Tout cet ahurissement sonore projette sur la place une prémonition obscure, une sorte de présage capricieux. L'homme continue à faire bouger la quille dans le vagin ouvert de la femme étendue. Il pousse son propre sexe jusqu'au fond de la gorge de Julia. Il jouit d'engager ainsi ce qu'il tient en mains au cœur des orifices de la femme offerte. Léchée, la pointe de son gland grossit sous la douceur de la salive. La femme mouille et mouille d'être ainsi pénétrée. Elle est pleine des objets de sa volupté, elle en a plein la bouche, plein son lac secret. Elle se liquéfie sous les poussées, ouverte à tous les vents.

Mais quelque chose se brise devant les enfants qui regardent; cette harmonie factice a des ratés. Il semble à Yachar et à Ismïa que les rapports deviennent moins tendres, moins souples, qu'on approche de la blessure. Perfidement, l'homme pousse plus loin l'objet dans la femme qui gémit, qui tente de reculer sous la pression, la bouche pleine du membre de l'homme qu'elle mord plus fort maintenant. Il lui hurle d'abandonner ce jeu-là, alors qu'il souffre; il enfonce plus fort la quille et la femme se tord, essaie de se sortir de la souffrance, de leur tourment à tous deux. La transformation s'est faite sans prévenir, au milieu des ébats. Ils ont basculé dans les rêves de la souffrance et le besoin de faire mal. Czeslaw a changé subrepticement de tactique quand il a vu Julia si totalement abandonnée. Et quand la douleur est née de ce jeu absurde des objets, la fureur lente s'est emparée d'eux.

La frayeur couvre maintenant le paysage; la femme se lamente, demande qu'il renonce, a lâché prise; et l'homme la gifle à toute volée en prenant dans sa main son pieu qu'on devine meurtri et saignant.

Yachar a peur pour Ismïa, comme Ismïa voudrait n'avoir pas vu d'aussi près la folie, le trouble fou de la douleur.

Julia se replie sur elle-même, les mains entre les cuisses, et elle pleure.

Ismïa est certaine que Julia n'en peut plus, qu'elle voudrait être morte. Elle pleure la fin de quelque chose, car ce ne peut être que la fin du monde quand une femme a aussi mal.

Czeslaw, le dos replié, comme pris de folie, a mis la quille dans sa bouche pour l'avaler, pour en retenir le goût de sang et de femme. Il a replié sa plainte sur lui-même en un mouvement de recul. Il se tient seul à distance et il pleure presque. Il vient près de Julia qui l'enserre, le prend à bras-le-corps. Ils étreignent leur déchirement commun, leur mal.

Elle met sa tête sur la poitrine de l'homme qui descend sa main vers la vulve rouge et l'alerte du sang, fait entrer ses doigts entre les lèvres irritées, tourne et retourne sa main au plus vif de la chair. Julia gémit, dit qu'il ne faut pas maintenant, mais l'homme va et vient de la main sur la femme, la presse, s'étend sur elle.

Yachar sait ce qu'il va faire maintenant. Ismïa aussi. Mais ils ne comprennent ni la peine ni la fureur. Ils ne croient pas en ce qu'ils voient. Ismïa tremble, se presse contre Yachar qui est aussi submergé par la crainte de l'inconnu. Il faut que la scène tienne du délire, que la chaleur du soleil exacerbe le bruit des insectes, les flottements de lumière dans l'après-midi commençant. Il faut que le monde chavire, que l'eau apporte avec elle des audaces sous-marines. Mais ils se doivent de comprendre ce qui se passe là d'absurde et d'effrayant, car la femme et l'homme gémissent d'être l'un dans l'autre, d'être si intimement liés l'un à l'autre.

L'homme a mis son pénis au plus profond du sexe fournaise de la femme qui saigne; et il va et vient en elle. On voit son bassin qui monte et qui descend, ses fesses qui se resserrent, dessinant chaque muscle tant l'effort d'y venir enfin l'épuise. La femme relève, en un rythme convulsif, ses fesses, ouvre plus grand les jambes, fait de son geste le délire de l'homme qui en elle chauffe plus fort la peau de son prépuce, chaque tension de ses muscles. Ils geignent.

Et Yachar se dit qu'ils doivent pleurer d'être si forts, d'être si durs. Il a peur, d'une peur inexplicable de la déroute, d'un savoir antérieur à tout entendement. Il sait qu'il envie l'homme et la femme, la douleur et le martyre, l'effort et l'effroi. Il sait qu'Ismïa aura peur et mal et amour. Il est troublé de voir l'homme couvrir la femme de sa force musculaire; il est effrayé de voir la femme prendre l'homme avec la violence de ses jambes et de l'appât ouvert.

Ismïa est inquiète de ce désir trouble qui monte en elle, inassouvi. Elle poursuit son rêve de Yachar du côté de la peur sous-jacente qui, en elle, se fraie un chemin vers la déraison. Ismïa implore Yachar, alors que lui-même pense à elle, à une délivrance.

Ils voient les amants liés, leur effort terrible pour se livrer aux excès. La trompe de l'homme sort de la femme, grosse et ferme, y rentre et en ressort, butoir de chair terrible. Yachar et Ismïa voient la convulsion des deux amants, ces deux voracités excessives. L'homme se saisit de la femme, se redresse et, debout, la soulève au bout de son plantoir qui, tel un crochet de chair, l'accroche au bas de son ventre, à son corps. Il allume dans ses yeux une exigence effrayante d'être puissant comme Atlas. On pourrait croire que le calme de la femme va s'abîmer sous lui avec le trouble de la passion. Cette dimension inhumaine des deux amoureux liés au soleil et à l'après-midi effraie les jeunes sauvages qui regardent de tous leurs yeux l'éblouissant manège de peau et de muscles qui culmine avec des cris d'inquiétude. Ils identifient dans leur ventre la pauvreté des sensations jusqu'ici éprouvées. Misère parfaite de leurs épidermes découverts. Ils voient que l'homme arrive à l'extrême fatigue de lui-même, que la femme accrochée à son cou se tend, se relève, essaie de faire sortir d'elle la pointe de l'homme pour mieux l'enfouir de nouveau, la happer dans son nid grand ouvert d'où coule par secousses un liquide mielleux, la douceur même de son antre. Ils vont s'écrouler quand l'homme hurle, quand la crèche de la femme s'emplit enfin de sperme d'où s'échappent déjà des traînées mirifiques. Il éjacule et éjacule encore pendant que la femme hurle, inondée et souple, enfin délivrée de la brûlure intense, du frottement incessant du rabot de l'homme en elle. Les eaux se répandent le long de leurs cuisses pendant qu'ils basculent jusqu'au sol, soulevant autour d'eux une poussière si fine que la souffrance semble éthérée, que les forces mortes forment des mirages. Ils restent soudés l'un à l'autre, sans douceur, simplement prisonniers des inclinations qui les ont ainsi rapprochés. Ils ne parlent pas, soufflent, éperdus, si loin l'un de l'autre que l'immense solitude qui se dégage de leur enlacement est terrifiante.

Yachar et Ismïa pleurent ensemble, l'un et l'autre confondus par ce qu'ils ont vu, par l'étonnante importance de cette scène insensée. Ils ont devant les yeux la vision d'un couple fou d'avidité, comblé par la force des choses. Mais il y a eu aussi ce sang, tout ce sang et cette ferveur. Non plus un simple jeu, mais un déchirement intensif, ultime. Les deux enfants regardent le désordre des corps couchés dans la cour et ils comblent le malaise en fermant les yeux. Ils savent que tout ceci restera à jamais inoubliable, qu'ils devront, plus tard, en savoir plus long sur cette tentation extrême.

Pour l'instant, ils voient l'apaisement du lieu, ils entendent tout à coup que le petit oiseau dans sa cage cherche à s'échapper en se jetant, toutes ailes ouvertes, sur les barreaux qui l'emprisonnent. Il ne chante pas mais pousse un petit cri strident. La touffeur de l'après-midi augmente d'intensité.

Ismïa regarde Yachar qui pleure. Il lui a pris la main et s'en est fait une coupe, sorte de vase lacrymal sensible qui bouleverse Ismïa. Les lèvres de Yachar se pressent, il évite que remonte en lui le cri de l'émotion et de l'effroi. Ce qu'il vient de voir le bouleverse. On dirait qu'il a observé une tempête inattendue sur la mer aux mois d'été. Il scrute à travers ses larmes Ismïa qui ne sourit plus, qui est perdue dans son cauchemar de chair et de sang. Elle voudrait garder sa fleur intacte, y mettre les mains pour la protéger; mais pour l'instant, c'est la tête penchée de Yachar qui en occupe l'espace ouvert.

Ils sont assis l'un contre l'autre sur le petit coteau qui surplombe la cour de la maison rouge du bord de mer et ils entendent les vagues qui font tout près un bruit de révolte. Le souffle des amants semble assourdi par les vents au-dessus des frondaisons. Il faut de l'entêtement pour croire que le jour va reprendre ses droits, que les gestes vont redevenir possibles.

Pourtant, survient le souhait d'un baiser dans le cou de Yachar, ou celui d'une fine grenade goûtée au creux des mains d'Ismïa. On voudrait de la pluie et du vent, un khamsin surgi du fond de l'horizon pour remettre le matin en ordre et le jour dans son sens de jour.

Mais il y a surtout la pensée de ces deux amants soudés l'un à l'autre sur le sable de la cour, un envoûtement. Il se trouve que, par là, des gémissements viennent ponctuer les pleurs de Yachar. En cet après-midi avancé, il n'y aurait peut-être que le silence étouffé d'Ismïa qui pourrait vraiment avoir un sens, susciter une idée de révolte. Yachar relève la tête, regarde la jeune fille qui, d'instinct, met ses mains sur son trésor, et scrute toujours le désordre amoureux dont ils viennent d'être les témoins éblouis.

Alors, Czeslaw se relève et regarde la femme. Sa queue est de nouveau repliée dans sa touffe de poils sombres, et il ploie de fatigue, les muscles exsangues et troublés. Il tend la main vers la femme pour l'aider à se remettre debout. On pourrait croire à de la gentillesse si ce n'était de ce qui vient de se produire. Et avec un geste souple, les voilà qui s'enlacent, se regardent, semblent s'aimer.

C'est un arrachement profond qui se fait, la compréhension des choses se brouille, du moins ce que Yachar et Ismïa peuvent en savoir. Ils ne saisissent pas ce qui se renoue d'impulsions prochaines, du manque qui sourd chez les amants. Ils ne comprennent pas comment la privation, déjà, fait sa marque.

Les jeunes gens voient les amants s'éloigner de la maison, aller vers la mer, y plonger souples et beaux. Cette cérémonie devrait recommencer le monde. Mais Yachar tremble de voir que l'eau les reçoit, qu'elle consent à ce que ces divinités maléfiques soient régénérées par les eaux agitées. Ils disparaissent au loin, dans le balancement de leur nage accordée. Ils sont, à l'horizon, dans l'écume rutilante, et n'émerge d'eux que l'étoilement solaire des vagues mouvantes.

Sans parler, Ismïa prend Yachar par la main pour qu'ils aillent ailleurs, pour qu'ils se prononcent enfin sur le début réel de leur histoire. Elle voudrait qu'elle recommence à l'instant pour effacer ce qui vient de se produire, ce dont ils ont été les témoins attentifs et perplexes. Ismïa entraîne Yachar loin de la maison rouge du bord de mer, reprend le chemin inverse, vers le levant, vers le pavillon près de la plage, vers les rochers plats où ils se sont vus ce matin.

Mais pendant qu'ils marchent ainsi à l'abandon, elle ne cesse d'interroger les flots, de les scruter des yeux pour bien en saisir l'inlassable retour. Il se pourrait qu'elle comprenne à les voir que tout peut recommencer, que tout peut se refaire à jamais. Elle ne résiste pas à l'appel des vagues. Bien qu'elle sache que déjà Czeslaw et Julia y sont plongés, beaucoup plus loin vers le couchant, elle veut remettre en ordre sa passion de l'eau et du mouvement, elle veut se retrouver lavée de tout cela. Elle s'arrête, regarde Yachar et lui dit de venir avec elle; et ils entrent dans le ressac enivrant.

Leurs vêtements collent à eux, laissent deviner leurs formes, et ils semblent l'un et l'autre plus nus ainsi recouverts par la transparence des tissus. Les seins d'Ismïa, le sexe de Yachar, leurs fesses, leurs ventres, leurs cuisses dessinent la nécessité immédiate d'aimer. Ils nagent comme le couple maudit vers les bas-fonds, en direction du mur de corail dont on aperçoit l'émergence un peu plus loin dans le soleil, lui dont la course va retrouver le fond de l'océan. Ils se baignent pour se dégager de l'envoûtement déraisonnable, ils veulent recréer entre eux cet espace de douceur qui, à l'aube, avait réussi à créer une magie souveraine. Ils remuent pour que leurs muscles encombrés de vêtements trempés retrouvent la nudité propice de la plage, une façon de se montrer dans l'innocence du sable encore chaud. L'épuisement et le chagrin comblent le garçon et la jeune fille. Yachar et Ismïa bougent l'un à côté de l'autre en pleurant. Chacun sait que l'autre se lamente malgré la mer et le sel, malgré l'eau qui rend méconnaissable le drame qu'ils vivent intensément. Ils nagent pour savoir que leur existence a toujours un sens, pour que la tendresse les recouvre sans cesse. Chacun pour soi, ils sollicitent la fureur des vagues. Ils se battent contre l'étourdissement qui les gagne. Dans ce tourbillon, ils s'épuisent et apaisent l'affolement. Ils vont jusqu'à l'extrême limite de leur fatigue, tentent la chance et la mort en même temps. Ils sont étourdis de repousser plus loin leur endurance.

Puis, sans se consulter, ils savent qu'ils doivent rebrousser chemin. Alors, ils retournent vers la rive pour se reposer, pour reprendre contact avec la terre. Ils regagnent la solidité des pierres afin que renaisse en eux l'intérêt de voir l'autre, sa beauté nouvelle. Ils reviennent à la vie surpris par des élancements rapides et pleins; ils se retrouvent eux-mêmes et renouvellent le jeu du savoir et de la passion.

Et quand ils reconnaissent que le sol de nouveau peut les soutenir, ils se relèvent et chacun devine les formes de l'autre, l'immédiate beauté qui les séduit. Ils marchent vers le sable, du côté des crabes et de leur incessant besoin de griffonner sur la plage des broderies et des volutes. Et dans ce jour qui n'en finit pas d'être essoufflant, surprenant, sans un mot ils se déshabillent et se voient. On croirait le même travail de l'aube, quand ils ne savaient pas que cette histoire pouvait faire mal, mener à la violence.

Ils ont douze ans dans leur beauté. Le désir semble en paix pour l'instant. Seul reste ce goût extrême de se voir l'un et l'autre, de se regarder encore et encore. Une sorte de paix étrange les a lavés. Le sel fait déjà de petites arabesques jaunes sur leur peau. Une étrange sensation de plénitude les gagne complètement. Ismïa se couche et prend la main de Yachar. Elle lui dit: «Dessine-moi.» Et dans l'extrême précaution de l'émoi, Yachar découvre petit à petit le corps d'Ismïa qui est si grand, si plein de surprises que le soleil risque presque de sombrer tout entier au creux des yeux noirs de celle qui sait qu'enfin elle pourra vivre. Il tremble en passant la main sur ses membres avec la conviction qu'il met au monde la sensation même du derme. Il tremble de savoir Ismïa heureuse et sereine. La tranquillité de l'heure les apaise, et ils redécouvrent, fragiles, le besoin de faire le tour d'eux-mêmes.

Plus bas, à cause des vagues, ils ne peuvent plus voir Czeslaw et Julia qui pourtant nagent en cadence. Le couple repart vers la maison rouge du bord de mer pour achever ce que tantôt ils avaient initié. Mais cela, Yachar et Ismïa ne le verront pas. Ils sont occupés à d'autres jeux, à d'autres apprentissages.

Sur eux, passent le temps du jour, l'heure solaire, la pleine lumière. Les coquillages font des acrobaties en se jetant sur la plage, bousculés par l'incessant remous. Et sur leur gauche, un chien passe en courant, égaré et rusé. Il jappe et s'enfuit en emportant dans sa gueule des limaces gluantes qui se collent à ses poils. Yachar le voit qui fuit loin d'eux et il refoule en lui sa crainte atavique des bêtes sauvages. Ils repensent tous deux aux prédictions et aux mauvais augures qui entourent la découverte des choses. Les gens de leur village auraient voulu pour eux la paix constante et le pesant ennui du monde sans bouleversement.

Mais, comme pour chasser la troublante venue de cet animal égaré, Yachar continue à jouer de la main sur les hanches d'Ismïa, sur ce territoire étranger et superbe. «Tu as des seins.» Et le seul fait de le dire traduit l'évidence naturelle du jour, l'éblouissement total de l'existence. Ismïa pose elle-même ses doigts sur ceux de Yachar et les retient prisonniers sur la rondeur de sa poitrine. Elle respire fort, étouffée par la nouveauté du geste, par sa simplicité. Elle sent cette main ferme qu'elle maintient sur ses seins, et c'est en elle la venue au monde d'un souffle inédit, d'un apaisement qui avait déjà commencé d'apparaître depuis l'aube.

Bachar se demande comment Ismïa est faite en dedans, comment il va la toucher, comment il va la découvrir. Pour l'instant, il avance pour qu'Ismïa le voie bien. Il écarte ses jambes, il pense à le faire pour laisser pendre son sexe, pour qu'Ismïa le regarde parfaitement, l'espère. Il ouvre ainsi la porte au désir d'Ismïa de lui tout entier. Il ne peut plus rien cacher de ce qu'il est maintenant. Il se montre prêt à la vouloir encore une fois, violemment, comme ce matin quand il regardait les ciseaux ouverts des jambes. Le pénis s'appuie sur les testicules, cosses dures et si fermes. Il se cabre un peu plus et va près d'elle. Il prend son sexe dans ses mains et le lui expose. Simplement montré, une chose à prendre, à mordre, dont il faudra qu'elle connaisse l'émoi. Il tend vers elle sa verge et son scrotum, pressés entre ses mains pour que se découvre le futur appétit qui pourrait déjà faire surgir le gland.

Mais Yachar essaie de faire durer l'attente. Il s'exhibe comme les oiseaux du bord de mer pendant leur pavane amoureuse. Il a vu les grues et les oies, les ibis du rêve d'Ismïa aussi, faire des rondes et se jucher sur le bout de leurs pattes, sur le souffle du vent pour des acrobaties agiles et légères. Eux aussi se découvriraient en dansant sur le sens de la patience, inlassables retours près de celles qui pourraient les choisir. Il repense à toutes ces parades qui préparent le coït animal, le vol des flamants roses, l'exquis envoûtement des mantes religieuses et des scarabées sauvages. Il revoit toutes ces batailles et ces approches en essayant d'en traduire lui-même l'essentiel ballet. Il présente son organe brun et huileux.

Il voit Ismïa prendre ses seins entre ses mains et les lui offrir. Ce n'est pourtant pas la première fois qu'il voit faire ce geste d'affection, mais il en est bouleversé. Calmement, elle s'approche de lui et dessine les aréoles, les mamelons si fermes, si doux, cette rondeur qui parfois fait fermer l'œil d'émotion quand le sein est trop beau, qu'il fait imaginer des paysages de dunes mouvantes sous le vent, qu'il fait croire que l'oasis est proche et que là l'abreuvoir du monde a enfin un nom. Il est certain que l'odeur japonaise des cerisiers en fleurs tourmente toujours le paysage. Il est sûr que les déserts ont aussi cette ferveur étrange dans leur chaleur. Il ne peut en être autrement quand tant de beauté s'exalte, quand le corps d'une jeune fille a la franchise si nette de ses courbes, de ses lignes. Il voit Ismïa s'approcher de lui, lui tendre son offrande toute résumée par ces deux seins montrés, et il croit que le jour recommence le jour, que l'aube en est toute neuve, que la violence n'est qu'une illusion de plus à son oreille. Elle est si nue qu'il en est ébloui.

Depuis ce matin, cette jeune fille est en train de prendre des proportions fabuleuses dans son esprit. Il se croit sculpté par elle, reformé dans l'étroite intention qu'il a d'y mettre l'œil et son sexe, d'y vivre une intensité foudroyante. L'acuité du regard d'Ismïa le dévêt plus encore, tant la suavité salivaire des lèvres est franche et résolue. Passe sur sa peau un premier frisson chaud, si chaud qu'il lui semble se remplir la bouche de pralines et de caroube. Il baisse les yeux pour voir que les jambes de la jeune fille existent, qu'elle est bien vivante en prenant sa pose devant lui. Chaque membre la recrée à chaque fois qu'il les revoit. Il en précise dans sa tête chaque courbe, chaque mouvement afin d'avoir avec l'image d'Ismïa une intimité absolue.

Il la regarde qui s'étale découverte et d'une beauté telle que sa vie avant n'a jamais eu de sens. Il dit « Ismïa ». C'est par ce mot que les perles aux yeux de la jeune fille s'ajoutent. C'est à cause du prononcé même du mot que là elle s'allonge devant lui, ouvre les jambes et se révèle aussi. Yachar, le gland porté dans ses mains, livré, voit enfin s'ouvrir de nouveau les cuisses de celle qu'il a si bien regardée ce matin. Il se met à genoux. Elle lui parle, comme si l'aube était toujours actuelle, comme s'il ne fallait pas tout à fait réveiller les choses du monde. Elle lui murmure: «Je t'en prie, recommence à me voir.» Et Yachar ne sait plus ce qu'il doit faire de ce don-là, de ce qu'elle lui offre de vie. Il ne sait plus quoi répondre quand le monde est si rempli d'elle, si comblé. «Je ne fais que ça depuis que je t'ai vue. Tu prends tout, ta seule image est la mer et le sel en même temps.»

Il faut qu'il se retienne de tomber sur elle, de la couvrir maintenant, car il veut prolonger la douceur du jour, cette inondation de ses pores. Il veut prolonger l'idée qu'il se fait d'elle, de ce qui loge au plus secret de sa peau. Il lui faut remonter jusqu'au premier jour du monde pour retracer son intuition, la venue à la vie de toutes formes qui auraient créé l'image accomplie de la jeune fille.

Il voit enfin les lèvres roses, humides et chaudes qui s'ouvrent sous les doigts d'Ismïa. Elle exhibe son blason feuille à feuille, lisse et rose et doux aux yeux de Yachar qui, comblé, ne sait pas que son propre pénis est maintenant leste, une tige de fougère, ferme et tendre pour aller sous la poussée ocre et la flamme immédiate de la chair offerte. Ils ont douze ans, comme l'univers. Et elle expose son sexe à l'œil attentif de Yachar qui ne sait pas encore qu'il est prêt à pénétrer où ses rêves s'agitent.

Et Yachar pense à l'hymen qu'il lui faudra traverser, et il en a de l'appréhension, et il a mal. Dans ses mains, le sexe recule devant l'offrande, il recherche le calme. Yachar s'assoit sur ses fesses, à même le sol humide. «Je ne pourrai jamais faire cela. Ça te fera trop mal. Je ne veux pas.» Et Ismïa est détendue devant l'aveu, la peur. Elle sait qu'il sera tendre, qu'elle pourra jouer selon son rythme à elle. « Il faudra bien que nous le fassions, tu ne crois pas ? » Et c'est l'inquiétude au ventre de Yachar. Il ne sait pas quoi répondre, comment il va faire.

Et là, sans rien dire de plus, elle approche la main du pénis du garçon et commence à le masser. Il grandit entre les doigts de la jeune fille, il durcit sous les pressions de ses mains. Et Ismïa en ressent une joie sans nom. Sa propre habileté crée des liens infinis entre eux, renoue avec la certitude des gestes à poser. Il se voit renversé sur le sol, couché sur le dos. Ismïa se met à le lécher bout par bout. Elle le lave de tout le sel, elle polit partout la peau, et exacerbe la sensation vive qu'il a d'exister. Yachar est tendu, prêt à se rompre de plaisir, et la bouche de la jeune fille l'habille d'un film de salive. Il passe ses mains sur les fesses d'Ismïa, sur son dos, sur ses cuisses, il essaie d'en tracer les traits, exactement. Les muscles sont si frais que leurs peaux sentent le parfum de patchouli et la trouble fragrance de leurs sexes ouverts. Le sable lui ponce les muscles à chaque agitation. Il constate que la terre pleine de la mer lui frotte chaque partie du corps qu'Ismïa lave et palpe et fait blanchir.

La chaleur de la jeune fille l'atteint en plein milieu de lui-même. Il est asphyxié sous la pression des doigts. Il cherche sans arrêt à voir une infime partie renouvelée de la nudité de la jeune fille. Il aime ce qu'elle touche. Il lui semble renaître ici au milieu de la vacuité de l'air et du sable. Il est si offert entre les doigts d'Ismïa qu'il en reçoit une délivrance mêlée de chaleur et d'humidité.

La jeune fille remonte sur son torse et vers son visage. Elle le dessine trait pour trait, chaque angle refait selon ses goûts. Il bande si fort qu'il ne sait plus s'il va pouvoir contenir ce membre qui s'arque vers son explosion. Mais elle poursuit savante et raffinée la mise en forme de l'image de Yachar, de la nouvelle image que Yachar aura de lui-même. Elle est si enveloppante sur lui qu'elle lui fait une couverture de peau fraîche et magnifique. Elle le couvre et chaque partie d'elle est un baiser fait du corps complet. Il l'enlace et l'embrasse et le sexe cherche le sexe, veut y entrer. Elle se dérobe, jette un peu de salive dans la bouche de Yachar, un premier don d'elle-même. Il la boit, inattendue et secrète. La sève est couleur de neige et les yeux ont des éclats inconnus qui les troublent. Il sent leurs deux bassins avoir le même balancement amoureux. Il cherche encore une fois à ouvrir les jambes d'Ismïa pour que sa tige trouve enfin où pénétrer la jeune fille. Mais elle se dérobe, lui fait don de salive et le lèche sur les yeux, les mains enfouies dans ses cheveux. Elle gratte sa tête pour rendre le sang brillant, pour que la pensée ait la chaleur exacte de son crâne.

La jeune fille se relève et avance le bassin en effleurant le ventre du garçon, en lui faisant cadeau de l'humide de ses lèvres, en soulevant la chaleur de son pénis frotté. Et Yachar délire. Elle monte ainsi vers sa tête. Elle vient se faire baiser par la langue de Yachar, par la bouche de Yachar, par son nez. Elle s'offre pour se faire respirer mieux et plus à l'aise par le garçon. Yachar n'attendait pas là Ismïa, mais la lèche, étouffé, heureux, chaud et délirant. Il voit de si près l'aumônière de la jeune fille qu'il se prend à rêver que l'œil y rentre un peu, qu'il soit la jouissance inconnue de ce qui s'offre d'elle ici. Il met la langue entre les pétales d'Ismïa et trouve que le sel de son sperme goûte aussi cette eau intérieure. La grotte de chair rose déploie son orifice; il ferme les yeux et les ouvre et c'est toujours l'enchantement du secret et du passage infini où il voudrait se retrouver.

Il prend son sexe à pleine main et tire sur le pénis pour que l'organe soit à la mesure du paysage qu'il va pénétrer. Il souffle et souffle pendant que la jeune fille chante un chant de reconnaissance. Elle est ravie de posséder un corps tel que le sien, pour sa propre beauté, pour avoir entre les jambes la si belle tête chavirée de Yachar. Elle chante aussi par son sexe et l'ouvre plus grand pour que la langue de Yachar la fasse jouir, pour que le clitoris pointu et ardent mette à feu et à sang la faim qu'elle a de lui. Elle esquisse alors un mouvement de bercement souverain au-dessus de la tête du garçon, elle va et vient avec un remuement si doux que la langue de Yachar la lèche à peine, lui rend l'univers et le vent palpables en un seul effort. Elle soulève sa croupe pour voir mieux les yeux pleins d'eau de Yachar qui ne pleure pas mais qui ne distingue plus le monde.

Elle se lève et surplombe Yachar, elle lui dit: «Il va bien falloir que tu viennes en moi puisque je le veux.» Et elle rit, prend sa tête entre ses mains et lui donne un baiser. Elle voit la turgescence si rouge du pénis du garçon. Elle se couche à ses côtés et le guide vers elle. Elle reprend le bijou, le palpe, le met dans sa bouche suscitant là un délire des sens. Elle le guide vers son antre à elle qui brûle d'être habité. Yachar voit la main qui le fait se tendre, et sait. Il voit Ismïa aux ardeurs si cadencées, si précises. Il tend sa main droite vers sa tête et la ramène vers lui, avec la délicatesse d'une brise, les soirs de grand calme. Il s'approche d'elle pour que sa langue aille jusqu'à la sienne. Elle ouvre la bouche, humide et rose, incline la tête, et prend le baiser de Yachar, le début extrême de leur quête. Et elle l'entraîne vers elle, contracte son sexe entre ses mains et le place juste devant son ouverture, vers la béance souple qu'elle lui offre d'occuper. Yachar croit délirer, et le bien-être qu'il constate de se savoir si près d'elle le renverse. Il vient en elle. D'abord, il approche le gland près des premières lèvres. Il vient juste au bord des poils et du liquide. Et il insère un peu du pénis et ressort, recommence avec la violence calme qui le gagne, qui exacerbe tout. Il devine la tension de la jeune fille, la nécessité de savoir que la passion est enfin venue. Elle le sent entre ses jambes et reçoit la pénétration de Yachar, l'attention sacrée qu'il met à ne pas lui faire mal. Yachar sait qu'il vient à l'hymen, qu'il le touche. Il se durcit malgré la peur et presse un peu. Il voudrait que le sperme éclabousse la vulve, tende sa vigueur en ce monde enfoui où il jouit follement. Et il pousse un peu pour que la jeune fille s'ouvre enfin, pour qu'il puisse aller plus loin en elle, hanter des lieux plus secrets.

Mais l'hymen résiste et la peur envahit le membre, le trahit. Il essaie de gagner de force le domaine interdit, mais là, s'oppose avec puissance l'immense différence des sexes. Elle le tire à lui et gémit. Elle voudrait tellement être délivrée de ce travail pour que revienne la splendide aurore du matin. Et dans sa tête, elle pense à aider Yachar, veut accompagner son labeur, elle pousse et il force, il se tend et elle s'arque, mais, à cela, sa virginité s'oppose et résiste.

Yachar retombe sur elle, dévasté, défait de son pouvoir de mâle. Sa tête est pleine d'idées folles et d'incompréhension. Il regarde Ismïa avec la désolation du monde dans les yeux. « Et s'il fallait que je te fasse mal ! » Elle lui prend la tête, la pose sur un sein et chante comme si la prière de la terre et de l'eau allait tout réconcilier. Elle chante la douceur des choses, la transparence des yeux, l'incroyable bonheur d'apprendre à s'approcher. Elle chante le passage du troupeau sur les dunes, le vol permanent de l'ibis de ses rêves et essaie d'endormir la colère chez le petit mâle orgueilleux placé sur elle. Elle chante l'orage et la pluie, elle trouve des puits de fortune où les bêtes s'abreuvent, elle danse aussi sur la chaîne des montagnes quand passent les nuages et que chavire le jour. Elle calme Yachar avec la caresse de ses bras et lui dit merci de s'occuper de sa douleur comme un berger. Elle lui fait du vent dans les cheveux, une protection de sa main ouverte, lui dit d'attendre l'heure propice car le jour est venu. Elle lui chante ainsi des chants immémoriaux qui sont précaires et beaux.

Yachar ne sait pas qu'il est rare d'ainsi respecter l'heure de l'hymen. Il ne sait pas que le geste est sacré et que la femme est seule à en connaître vraiment le moment.

Ils se reposent devant le silence de la mer enfin calmée, ils attendent que l'heure revienne de s'aimer aussi fort.

Yachar retient son sperme en lui qui semble être engorgé dans le conduit du pénis. Ismïa respire l'odeur des cheveux de Yachar et sait que sa rose reste humide et fraîche, qu'elle veut encore de lui.

Tout repose au plus clair des heures parfaitement accordées à l'attente qui recommence. Ismïa repense à tout ce que le bon sens de ses ancêtres n'a pas su lui faire concevoir. Elle est dans l'apprentissage d'elle-même, dans cette seule sagesse des gestes accomplis. Yachar tremble du mal qu'il pourrait faire à Ismïa en respectant le pacte des mâles, ce travail qu'il ne sait pas accomplir. Mais la certitude de percevoir la parfaite complicité des choses, cette harmonie qui lui fait avoir pour Ismïa tant de crainte, le calme et l'apaise.

L'ombre est plus longue maintenant. Quelque chose du soleil s'en va. Certainement, l'air est plus frais, le vol des oiseaux plus nerveux et inquiet. Ils sont là. Yachar et Ismïa attendent que l'heure revienne, que l'heure soit certaine. Ils n'ont pas conscience de l'importance des bruits autour d'eux, de l'urgence de ne rien déranger du monde pour que renaisse l'impatience de s'ouvrir, de parvenir à rassasier une première fois leur besoin l'un de l'autre. Ils sont persévérants pendant que l'heure passe sur eux.

Il fait chaud et l'instant a des qualités inattendues pendant qu'ils savourent les premiers pas franchis. « Tu es tellement chaude, tellement douce. » Et Ismïa l'entend, certaine de ce qu'il dit, certaine de cette vérité inébranlable qui évoque la bonté secrète, l'esprit du miel, la délicatesse des coques de soie où se préparent les papillons épanouis. « Tu me prends comme un doigt. Tu as la douceur des perches longtemps léchées par la mer, par l'aurore. » La phrase bruit en eux, l'hallali sonne.

Ils savent bien que la tension monte un peu, que se tendent ici les pulsions dans les sexes, que la séduction redouble pour les rendre harmonieux. Encore faut-il qu'ils sachent la lenteur de la marche au bord de l'océan, la patience, cette patience essentielle pour que le soir s'accomplisse.

Yachar ne saurait dire à quoi tient cette tension, mais il replonge au centre de sa folie alors qu'elle est collée à lui. Ses fesses un peu froides le provoquent. C'est la décharge, cette façon qu'il a d'être alerté, de vouloir se jeter sur ce qui, devant lui, l'attire, l'aspire. Il voit Ismïa et son membre se comprime sur sa cuisse. Il pousse, le presse contre cette chair accessible et, dans les testicules, il constate un dérangement profond, un étouffement du liquide qui s'engorge là. Il fait se déployer vers lui Ismïa qui a aux yeux des reflets de lune, des envies de nuit. Et les peaux semblent coincer son gland, le lécher, le faire se gonfler à ce frottement neuf. Yachar voudrait qu'Ismïa roule sur lui, encore et encore, qu'elle le fasse délirer en s'appuyant sur lui, roulé et roulé toujours. Et elle se met à jouer de la cuisse sur la verge de Yachar. Elle la frictionne, la fait gonfler, l'amène au besoin d'elle tandis qu'elle souffle à son oreille.

Le vent chaud dans sa tête crée un bourdonnement sensible, l'oblige à bouger au beau milieu de ses pensées.

Ce bruit incessant de la respiration, ce ronflement lancinant met des espaces entre sa nervosité et son exaspération. Son crâne devient ce bruit flou de ses rêveries. Il sait que la perception nette des choses se retire de lui, que le souffle d'Ismïa l'entraîne à la débâcle; il l'entend soupirer et soupirer au cœur du bruit sourd qu'elle fait pénétrer en lui, et il croit la savoir près de lui, en lui... le souffle... le muscle durci... le désir... et le souffle... ce bruit... Ismïa et sa voix d'air dans sa tête... cette promesse qui saccade sa montée vers elle.

Des rires leur parviennent du pavillon où sont les jumeaux. Ils entendent des éclats de rire, des jeux. Yachar a l'impression d'être accompagné dans son délire. Ils ne veulent pas se préoccuper de la présence de ces deux-là. Ils veulent être seuls pour apprécier l'instant. Ils auront plus tard la curiosité de savoir ce que les jumeaux peuvent faire de leurs journées, enfermés qu'ils sont dans le petit pavillon.

Mais pour le moment, seule leur suffit cette sensation inhabituelle d'être parfaitement bien, et la chaleur du jour continue de les combler. Plus haut, des cigognes volent en tirant de l'aile. Sur le sable, le vent soulève une poudre fine qui leur fait la peau rêche. L'heure a des provocations. Tous deux forcent le temps, essaient de s'introduire dans l'espace essentiel où la passion va s'initier.

Elle le prend par la tête, par l'oreille, et sa voix lui indique de venir à lui, de se rendre jusqu'à elle. « C'est de nouveau le moment. Allons, reviens. » Et Yachar se met à chercher des doigts les cuisses et les genoux. Il passe la main en tâtant. Il veut redécouvrir l'ouverture entre les jambes. Aveugle et troublé, enivré même, il caresse la peau si fine de l'entre-jambes, cet espace soyeux qui ouvre la route vers le pays d'Ismïa. Il essaie de trouver l'entrée par où il va rejoindre la chaleur de la jeune fille.

Il est fou d'admiration, il la noie sous la pression de ses doigts, découvre le lieu où il veut se rendre et c'est si chaud, si tendre qu'il se met à respirer au rythme d'Ismïa, aux soubresauts d'Ismïa, à ce qui chavire ici dans la cyprine qui vient à ses doigts, à sa chaleur même. Il pousse vers le bas, ouvre la main à l'ouverture des jambes, et elle se répand, s'offre dans le grand V des cuisses mises à nu. Yachar va plus vite cette fois vers l'hymen. Il sait qu'il est intact, mobile sous les replis qui le happent.

Ismïa avale le pénis de Yachar. Elle l'aspire en elle. Elle engouffre autrement l'espoir qu'elle a de lui. Elle tend les muscles de son vagin pour arrimer le membre, pour que jamais plus il n'en ressorte, pour que cette fois se fende en elle le signe de l'enfance, se répande le sang qui fera d'elle la femme qu'elle souhaite, avec Yachar, avec elle-même, avec la certitude d'être tout près de cet épanouissement d'elle-même qu'elle espère tant.

Yachar trouve nouvelle la puissance de la forge de la jeune fille, inattendue cette tension qui le serre, qui l'emprisonne. Il sait que la volonté de cette jeune fille sous lui n'est plus qu'une tension éveillée, un acharnement. Et il pousse malgré la crainte furieuse de lui faire mal, de ne pas pouvoir, de délirer dans le sang, le rouge, l'éclatement de la chair tranchée. Il supplie Ismïa d'attendre, de

le délivrer, mais elle serre, elle serre plus fort, ordonne:
«Viens, allons viens plus profondément en moi.» Et
Yachar qui ne pense plus qu'à habiter la grotte, le fond
de ce puits sensible, pousse et veut sortir, enfonce et veut
fuir. Le délire de l'instinct ne sait plus ce qu'il souhaite.

Mais tout à coup, la peur, cette crainte atavique qu'il
ne la déchire, qu'il perce à l'intérieur d'Ismïa des voiles
fragiles et vivants, qu'il pénètre en un lieu tragique qui
la ferait mourir revient l'abattre. «Je ne peux pas, je ne
peux pas encore.» Et il ne sait plus s'il pourra jamais.

La nuit fait sur ses fesses une enveloppe de plus en
plus sombre. Les ombres sont reflétées à la fois par l'univers de l'eau noire et le bruit noir de l'heure qui vient.
Des chacals sans doute se plaignent quelque part au-delà
des dunes toutes proches. On entend leur harcèlement.
Leurs longs jappements jettent un air sinistre sur les
événements. Mais il y a aussi leur propre respiration qui
couvre l'ensemble de leurs gestes, qui efface les signes et
les présages. Des trombes de vent les enlacent intimement, les recouvrent. Ils se perdent parmi les méandres
nocturnes qui chantent à l'horizon. Mais il faut que tout
ce travail s'accomplisse, il faut qu'ils soient sourds à tout
ce dérangement sonore. «Il le faut. Yachar, tu m'entends,
il faut que tu restes, que tu bandes, que tu entres où je
veux. Il faut que tu réussisses à pénétrer plus loin en
moi. Je n'en peux plus.» Et elle le tient, se mêle à lui et le
prend par les épaules.

Yachar ne comprend pas qu'elle veut le mettre sur le
dos. Il résiste, ne saisit pas, insiste un peu, couché sur
son ventre, pour le sang et la vie, mais elle cherche à le

renverser, à le prendre elle-même, à se mettre sur lui qui s'épuise. Et, avec une harmonie souple et franche, Yachar se laisse enfin entraîner par le renversement des pulsions qui s'entêtent; il se laisse chevaucher par la jeune fille qui alors s'empale sur son membre mis à sang et qui pousse, qui essaie de faire traverser au pénis la porte folle qui l'empêche de hurler pour la délivrance. Yachar a mal au sexe sous la poussée d'Ismïa, il souffre qu'elle pousse violemment sur lui. Il croirait que son organe va disparaître. Mais il bande si fort, si exactement au bout de lui-même que l'hymen bouche le pénis, le fait suffoquer de douleur et d'espoir de faire jaillir la sève engorgée.

Et voici qu'Ismïa, trempée de sueur, épuisée dans son malheur et son travail, fait voir l'ébauche d'un premier sourire, malgré la chaleur si intense de la fente. Elle laisse voir que le passage s'ouvre, qu'elle vient d'être traversée de part en part, moment unique où ses formes chavirent. Yachar sait que sa dague pénètre au plus chaud, au plus chaleureux de la bague, qu'il s'enfonce plus loin, que la gaine est en train de l'avaler complètement, que les lèvres d'Ismïa le happent enfin et que ça coule, que ça coule, que quelque chose n'est plus pareil, ne sera plus jamais pareil. Et Ismïa rit fort et heureuse.

Elle sait que sont enfin franchies et la douleur et l'angoisse. Voici que Yachar est en elle, habitée par lui, affolée. «Regarde Yachar, regarde bien ce sang-là. Il ne vient qu'une seule fois à la femme de cette couleur-là, avec cette douleur-là.» Elle reste un moment, la verge de Yachar bien arrimée en elle avant de lentement se dégager. Elle se relève, délivre le pénis ensanglanté de Yachar. « Regarde comme c'est beau Yachar. J'ai réussi. » Et Yachar a des crampes de stupéfaction et de surprise. Il est effrayé par la vigueur rouge du sang, par sa franchise. Il a peur pour Ismïa qui conserve pourtant son sourire et qui est toujours heureuse. Il la voit au-dessus de lui qui rit d'être femme autrement et qui saigne et qui vit. Il la regarde pour s'assurer que cette réjouissance ne masque pas une douleur inexplicable, un danger plus grand d'avoir percé des chairs impossibles et blessées. « Tu es certaine ? Tu es sûre ? Tu te vides de ton sang ! »… Et Ismïa continue à rire au milieu de cette nuit si claire autour d'eux. Le bouleversement est si complet. Elle jubile et l'air charrie des effluves de sel. « Regarde comme c'est beau. »

Elle ne peut pas se rassasier d'elle-même, de ce qui d'elle se répand. Elle voit ce sang sur le ventre et sur le sexe de Yachar, elle voit ce rouge sur eux qui les habille, et elle y met les doigts, elle y cherche la couleur même de sa vie. Elle goûte ce sang que jamais plus elle ne verra sortir d'elle. Elle se goûte et en donne à Yachar qui ouvre la bouche, affolé et stupéfait. Il goûte le sang d'Ismïa pour comprendre ce qui la trouble, ce qui vient d'elle. Il fait entrer les doigts rouges d'Ismïa dans sa bouche, lèche et lèche longtemps. Il est certain que le travail de son sexe est accompli. Il remercie Ismïa de l'avoir fait elle-même. « Je n'aurais jamais pu, jamais. Il fallait que ce soit toi, il fallait que tu te serves de moi, que tu rompes toi-même ma venue en toi. » Il pleure tout à coup. Il regarde la jeune fille et pleure de la savoir femme et heureuse et rouge et belle.

Le sang ne coule plus. Et la douleur est moins vive. Le bonheur de savoir Yachar si près de ce qu'elle ressent la ravit. Et elle repense au recommencement de tantôt, à plus tard.

Et Yachar qui a débandé, qui se repose, qui n'a jamais connu un tel engorgement de sperme, en est encore tout plein. Il souffre dans son membre. Il va attendre que la violence du sang soit un peu passée. Il laisse son envie retomber jusqu'à ce que soit effacée la douleur du déchirement. Il va se mettre à patienter pendant la nuit pour que leur ardeur les unisse, les ramène l'un à l'autre. Il a mal dans ses testicules remplis. La privation exacerbée d'éjaculer le trouble, l'étourdit. Il n'en peut plus de se retenir, de ne pas pouvoir décharger.

Ils se lèvent pour aller se noyer, pour que leur impression du monde soit remise à neuf. Ils vont laver le sang nouveau d'Ismïa afin d'être disponibles au moindre signe, au moindre retour des gestes propices. Yachar tient à nettoyer lui-même les cuisses et la rose d'Ismïa. Elle s'est assise dans les vagues et il s'est assis sur ses cuisses. L'eau les déséquilibre constamment. Yachar flatte l'entrecuisse d'Ismïa, y fait se déferler la mer, y passe la main délicatement. Il l'embrasse sans arrêt, balancé par le courant sous-marin.

Il ne peut s'empêcher d'être triste aussi parce que le signe de l'hymen s'évanouit en cet instant qui est inéluctable, parce que jamais plus cela ne reviendra entre eux; et c'est l'unicité du geste, le foudroyant éclat qui en a découlé qui s'en va ainsi à la dérive.

Quelque chose les a transportés jusqu'ici par magie. Ils se voient assis au milieu de la nuit océane et ils s'enlacent pour retenir un peu de leur émoi. Et c'est long avant de se défaire. Le délice de leurs poitrines immergées par l'eau froide, la félicité des sexes brûlants incessamment brassés par l'eau, le contentement profond de l'épuisement, ces sensations diverses font se prolonger ce moment si particulier d'après l'amour.

Ils sont paisibles, semblables à des algues marines ou à des mollusques à jamais pris au corail des bancs si proches. On dirait que pour eux le temps fait un effort pour se suspendre. Mais le sommeil est plus puissant que leur patience.

Pour l'instant, il voit Ismïa qui se redresse et qui lui tend la main. Ils vont se recoucher, repartent vers la plage. Yachar n'ira pas dormir dans le petit pavillon cette nuit. Il va laisser les jumeaux à leur solitude. Il va passer son temps auprès d'elle qui se roule sur lui, brûlante et invraisemblable femme, qui s'allonge et ploie comme une tige, qui vient mettre la tête sur l'épaule et qui pleure dans ses pleurs.

Les deux enfants regrettent la fin de quelque chose d'impalpable, de douteux et de vrai. Ils vivent la commotion, rassasiés, submergés par les découvertes que le jour leur a enfin permis de faire.

Ils vont s'endormir complètement. Mais rien ne sera oublié. Il faudra voir les mains dans le sommeil chercher à flatter une cuisse, la fesse, le sexe. Chaque geste aura des douceurs et des méandres qui vont ressembler à du rêve. Il fera nuit sur eux pendant quelques heures. Et sur eux, les protégeant, un ibis aux ailes bleues va infiltrer leurs pensées, faire des tourbillons parmi les songes afin de raviver la passion inéluctable qui reprendra ses droits au moment du réveil. La nuit est calme, parfaitement. Ils iront aussi à la mer pour que les actes prochains réveillent la douceur parfaite des peaux et des sexes. Il s'agira de les voir se chercher durant ce temps pour comprendre à quoi ils vont penser ainsi, séparés et tranquilles.

Le calme parfait de la nuit les couvre. Ils ont l'ignorance du temps qui passe. Sur eux, la lune opale et froide répand une lumière de fin du monde.

L' aube n'est pas loin. Ils se sont laissés durant la nuit. Chacun dort seul, le bras replié sous la tête. Ils ont l'air abandonnés l'un et l'autre, ils ne se caressent plus. Leur éloignement est éloquent. Il semble que chacun ait cherché à se séparer pour respirer un peu mieux, pour mieux se souhaiter, s'espérer. Il ne fait plus chaud à cette heure précise où rien ne se décide du jour et de la nuit.

Les deux enfants se lasseront du sommeil, se chercheront bien un peu. L'étourdissement du réveil va les happer. Ils ne comprendront pas tout de suite ce qui leur manque, ce qui ne satisfait déjà plus leur solitude. Ils dorment et c'est l'euphorie. Leur fatigue irremplaçable est celle qui gagne les muscles après l'amour. D'autant plus qu'hier, le travail fut difficile, que la porte qu'ils devaient traverser ne permettait aucun relâchement, aucun repos. Ils se sont endormis, assommés par l'évidence de leur fatigue, par la certitude qu'ils n'en pouvaient plus de survivre à l'épuisement, exténués. Il ne leur a rien fallu d'autre que fermer les paupières, que se jeter pleinement dans ce grand bac noir de la nuit.

Ils ont fait sans doute des rêves étonnants après cet effort extrême qui les a vidés. De ces rêves peuplés parfois de personnages étranges et d'étranges folies. Ils auront revu tout le travail gracieux des araignées du soir, leur obstination à réaliser leur toile, leur chef-d'œuvre. Ils auront aussi fait un tour du côté des dieux secrets, des vies sous-marines. Peut-être même auront-ils trouvé une route obscure pour se rendre l'un et l'autre à leur propre paysage intérieur. Ils auront peut-être refait les gestes de l'amour, senti le bouleversement des sens qui les a si radicalement chavirés. Ils auront certainement fait des songes de sang, perdus dans des lieux rouges et étonnants pour la continuité des choses.

Or, ils sont nus depuis des heures maintenant, perdus, avec cette extrême disponibilité qui les a fait se rejoindre durant le jour qui enfin a été traversé. Ils sont nus et ils ont froid. Et le réveil n'est pas loin, car le frisson qui les enveloppe va les faire se rapprocher. Ils vont chercher à se réchauffer l'un l'autre, l'un dans l'autre, à côté de l'océan qui envahit ce débordement sonore de la nuit. Il n'y a presque plus de secondes maintenant avant que la main de Yachar ne rencontre celle d'Ismïa. Le roulis du sommeil provoquera ce contact fragile. Il va sentir les doigts de la jeune fille entre ses propres doigts, il va les retracer sur son pénis même, il va savoir que cette main hier le tenait si fermement, l'explorait. Il aura dans son sommeil une première nostalgie de ces gestes de quête qui ont fait naître en lui tant de bonheur, tant de changement.

Il cherche sur le sable à rassembler ses songes, il fait un grand cercle des bras pour ramener vers lui l'éparpillement de ce qui en lui se bouscule. Et il la touche. Il a rencontré Ismïa, cet isthme flou qui arrête son mouvement. Il cherche à reconnaître ce qui fait obstacle, ce qui est si beau sur ses ongles, du bout des doigts. Il palpe dans la nuit le sein doux qu'il recouvre et ne comprend pas vraiment ce que vient faire le bout du téton sur cette rondeur si soyeuse. Il palpe comme un chat qui tète, il presse et pousse. Et ses lèvres, au cœur de ce sommeil si fragile qui le retient d'être conscient des choses, cherchent à prendre dans la bouche le lait imaginé. Il presse le sein pendant qu'Ismïa, toujours endormie, geint, ne sachant pas ce qui du songe émerge juste au moment de la pâleur du jour qui vient. Yachar pense à du lait et à une oasis. La fraîcheur de l'air y est propice. La soif qu'il a n'a pas de sens, reste inextinguible. La terre tremble sous eux, endormis. Son rêve est réel, et il galbe de sa paume les courbes accomplies d'Ismïa. Il ne recherche rien d'autre que cette palpation qui le stimule, qui l'appelle à travers son réveil inévitable. Elle frissonne, ramène ses jambes vers elle, se plie, ébauche un cercle enivré et cherche à prendre cette main qui la masse pour la mettre entre ses jambes. Le geste inconscient est d'une pathétique innocence.

Ce qui s'imprime alors sur la plage trace l'image neuve d'une fleur hybride, brune et rousse sur la blancheur du sable, sorte de méduse abandonnée par la noirceur et par la mer. Ils se retirent de la nuit, poussés vers cet enlacement inconscient qui les rapproche. Yachar laisse sa main glisser sur les poils d'Ismïa. Il se prend les doigts dans cet entrelacs de fils noirs, dans cette touffe qui tend son champ devant l'entrée humide qui repose.

Son sexe se colle de plus en plus à la jeune fille, s'y presse. Et Ismïa met sa main sur celle de Yachar et prend son majeur et l'accouple au sien; et les deux doigts entrent ensemble dans le panier chaud qu'ils vont redécouvrir malgré la frayeur du réveil, l'effervescence des humeurs. Les deux doigts vont et viennent, s'enlacent au milieu des muqueuses, font monter jusqu'à la sève le clitoris dressé, vigie qui se frotte aux mains, qui gonfle et se remplit du sang intérieur.

Et Yachar ouvre les yeux à l'instant justement où le soleil sort de sa torpeur. Il voit Ismïa qui le regarde. Elle se jette sur lui pour rattraper le temps perdu, retenant entre ses cuisses chaudes les deux mains qui tendent les doigts vers ce qui la noie de liqueur et d'orange, d'odeur de suc et de chair chaleureuse.

Ismïa regarde Yachar au lever du jour, le voit à travers la vapeur ensoleillée qui le masque et elle sait que se produit déjà, avant que ce ne soit tout à fait le jour, une répétition des gestes de la veille, une étrange symphonie de miel et de rêves. Les doigts palpent son étui et reviennent, le déploient. « C'est toi que je veux, maintenant, tout de suite. » Ismïa devine l'engorgement du sperme de Yachar, elle pressent le besoin qu'il a de mettre son jus retenu entre ses lèvres, au fond de son fourreau à elle qui n'en peut plus de l'appeler.

Elle se déplie de sa forme de fleur, elle s'étend, amoureuse et recueillie. Elle ouvre les jambes qui libèrent les mains baladeuses. Les doigts se retirent et vont au sexe de Yachar. Les deux mains sont jointes autour du pénis et le pressent ensemble. Le goupillon appelle au secours, l'antre d'Ismïa, le bonheur de sa gangue soyeuse. Yachar est fou de son besoin d'elle, de l'urgence qu'il ressent d'éjaculer enfin toute son envie d'hier et des jours précédents. Et il se soulève, relève le bassin en étirant les jambes. Les fesses sont belles, rebondies, rondes comme des pastèques brunies de soleil. Yachar a encore douze ans dans son désir d'Ismïa. Les muscles du dos font des saillies, précisent chaque mouvement d'approche. Yachar s'arque au-dessus d'Ismïa, étire ses membres pour qu'ils se tendent bien, soient prêts à tout. Il se soulève pour que son bassin épouse la forme même du bassin de la jeune fille étendue, pour qu'il s'ajuste à cette rondeur recueillie, cette coque si parfaite sur laquelle il s'appuie.

Quand il constate que ses poils s'emmêlent délicatement à ceux d'Ismïa, il y a en lui un affolement considérable. Il croirait être comblé. Elle réussit à le chavirer au simple contact de son pubis sur le sien et Yachar n'en peut plus. Il divague sur le bassin pendant que sa queue se prend à errer sur la touffe de la jeune fille, sa dague si droite, si dure, qui traîne un peu parmi le fouillis des poils.

La sensation l'essouffle quand elle est étendue pour prendre l'univers. Le sexe va à la recherche d'une impression parfaite. L'heure de l'hymen est passée sur eux comme une cérémonie. Reste maintenant à accomplir cet autre rite du délice des corps. La chaleur sur les fesses fait ouvrir les jambes plus grand à Ismïa. La fournaise de l'air est une aspiration fatale sur leur peau, une extravagance, et la minute qu'ils vivent s'allonge démesurément.

Malgré l'heure première de l'aube, ils suent. Leur moiteur est une colle prégnante qui les soude. La queue de Yachar poursuit sa descente vers ce qui le fait hoqueter de contentement. Il est bien en vis-à-vis des lèvres d'Ismïa. Il va la pénétrer et elle tend la main, le prend, le guide, le fait jouir avant sa venue en elle. Elle le tire et le repousse. Elle place son gland sur son clitoris et le fait jouer bien droit en des ronds parfaits sur la protubérance. Elle se met à respirer plus fort, à soupirer. Elle tend le pénis et le détend, le mène au clitoris et l'éloigne. Et Yachar comprime ce qui se retient de jaillir de l'intérieur, ce qui se gorge là de sève et de résolution. Mais de contenir ainsi ce qu'il porte en lui depuis hier l'exacerbe, le rend tendu, les nerfs à vif sur le bord de la souffrance. Ismïa, savamment, le fait pénétrer, en de doux allers et retours, en de brèves pressions des lèvres. Le sexe prend le vit, et se retire. Ismïa met le majeur d'abord, ensuite le pénis. Yachar croit s'affoler. Elle se touche elle-même en même temps que l'organe du garçon qui, en elle, cherche à pénétrer plus profondément. Et le long de la tige, elle place son ongle aigu et retire lentement le doigt en incisant la chair de Yachar qui croit suffoquer. Elle marque de l'ongle toute la longueur du pénis irrité et fou et long et gonflé. Le mal est magnifique chez Yachar. Il délire de volupté et va plus loin en elle, pousse, et pousse plus fort. Et, tout à coup, elle donne un coup de bassin vers lui, s'enfonce en lui, l'enfonce en elle. Elle prend la tige et la met le plus exactement qu'elle peut tout près de sa douleur d'hier qui est déjà oubliée. Elle aspire entièrement Yachar qui, pour l'instant, est résumé dans son glaive qui, en elle, fouit et fend et se dresse et se gonfle et aspire et bouge. Et elle serre ce membre féroce, le serre si fort que son vagin est en train d'étrangler Yachar qui exulte et étouffe son cri. «Maintenant!» Elle lui crie «maintenant» dans un seul souffle avec lui confondu et Yachar se sent venir, aboli.

Il sait que la vague qui le projette en elle est irréversible. Elle réchauffe le ventre en même temps que les testicules. D'abord une lame vive, puis un resserrement étranglé, ensuite cette violence si dure qui compresse la chair, qui fait se crisper le bas-ventre. Il se sait réduit à cette simple contraction de son organe qui se remplit et se remplit jusqu'au bord. Le besoin de tout rejeter de lui est si fort que le bout de son gland semble devenu trop gros, protubérance affolée hors de lui qui veut éclater. N'existe plus que cette plainte longue et accordée pendant que Yachar se tend et qu'Ismïa mouille et mouille l'organe gonflé. Le premier jet est miraculeux. Il paraît froid tellement leurs corps sont brûlants, immenses et noyant, tant le besoin de lui en elle est indicible. Ils hurlent tous les deux ensemble pendant le premier coup de butoir, pendant qu'il gicle en elle et qu'elle avale ce liquide onctueux. Les ondulations du bassin, incessantes et répétées, donnent au geste une dimension affolante. Il va en elle et éjacule, crie et éjacule, hurle et éjacule encore; il lui donne ce qu'il peut, se délivre. Il éjacule enfin son jus depuis hier retenu. Il pousse et dégorge, pousse et décharge son sperme jusqu'à la lie, jusqu'à l'épuisement. S'effacent alors le monde et la mer. Il sait qu'il est en elle, au plus profond d'elle-même pour la première fois et il lui semble qu'il ne devrait jamais cesser de jeter ainsi son sperme. Il se contracte, est toujours aussi gros, va et vient rapidement, va et vient en elle, cherche, pour un dernier coup à bien enfoncer le pénis jusqu'au fond. Il va au bout de lui-même et c'est un dernier jet en même temps qu'un dernier râle étouffé, et elle crie aussi la découverte de son propre plaisir et de celui de Yachar. Elle bouge le bassin incessamment, va en tous sens, cherche à prolonger encore et encore ce jeu de la tentation exacte.

Et Yachar retombe sur elle parfaitement placé au creux de son bassin, il éprouve le bonheur assourdi d'être venu enfin, d'être ailleurs, d'être lui aussi ce fluide donné. Il est maintenant partagé dans sa matière. Elle l'a en lui pour toujours, de façon irrémédiable; et il pleurerait d'aise si la jouissance lui laissait d'autre pensée que celle de la satisfaction qu'il a eue, qui couve.

Et elle revoit alors les actions de cet amour possible qu'ils viennent de vivre. La mer cherche à les prendre en secret et les dérobe en elle. Elle chavire, et c'est l'émeute.

Inassouvie malgré tout, car sa vie désirante lui semble longue et inépuisable. Elle est étendue, cachée par Yachar. Elle manie en elle le sexe toujours gros. Yachar s'anime pour l'embrasser de bonheur. Il va sur ses lèvres pour remercier le corps d'être lui-même, pour savoir d'autres liquides heureux.

Il s'apprête à sortir d'elle, à redonner de l'air à son sexe brûlant, mais elle le tient fermement par les lèvres, lui refuse la délivrance. «Je voudrais que tu m'habites longtemps. Ne sors pas maintenant. Je veux te garder en moi.» Il ne cherche plus à fuir l'heureuse caverne de chair qui le retient. Il se détend sur Ismïa qui prend à pleine bouche les baisers qu'il lui fait. Ils ferment les yeux pour se rapatrier en cet ultime instant.

Chaque élan qui vient de se produire les bouleverse. C'est avec une grande simplicité qu'il apprend à se détendre, à retrouver ses muscles. Il est foudroyé par cette certitude heureuse d'avoir atteint un continent nouveau, d'avoir trouvé là une manière propice de vivre. Cette conscience des choses le trouble et l'inquiète; il croirait avoir accompli le chemin essentiel qui allait le conduire à lui-même, à sa propre identité.

Mais il se colle à elle à la manière d'un enfant soumis. Il voudrait rester dans ce vase clos des bras, retrouver à jamais cette nudité familière. Il se maintient ainsi lové en plein centre, l'habitant indéfiniment, amas précaire de vivacité et de pulsions.

Il lui faudrait dire des choses immenses, le pourquoi des nids d'oiseaux, les raisons de la mort et de la plaine, les transhumances africaines et l'assèchement des puits.

Il voudrait trouver mille manières de reparler du monde et de son ordonnance. Il faudrait qu'il sache imaginer les prairies d'Afrique, les sommets enneigés ou l'odeur de goyave des pays lointains. Il devrait parvenir à lui insuffler un peu de ses paysages intérieurs, de ces lieux si troublants où parfois son esprit se permet d'aller jouer. Comment lui raconter les ébats amoureux des gazelles ou des gnous, la turbulence aquatique des bêtes des rivières et tous les esprits du bois, des montagnes et des chutes ? Comment lui raconter les jours des dattes, ceux du café, ou ceux de devenir un homme dans les tribus les plus profondes, perdues au plus profond des forêts tropicales ? Ses bras la retiennent et il ne cesse de parler, ivre et sevré. Il faudrait qu'elle sache ce qu'il pense de la ville et des métiers, de la marche et de la course, des songes et des misères. Il voudrait l'entourer de paroles, ne faire d'elle qu'une inépuisable occasion de reconstituer l'univers et d'en parler ensemble.

L'outre coule entre leurs jambes, le don s'échappe d'eux comme une rivière sacrée. Elle ne l'entend presque pas tellement elle est occupée tout entière de son lieu enfin changé, de ce bouleversement qui vient de s'accomplir. Et c'est pour le savoir heureux qu'elle voudrait lui donner tout ce qui en elle s'est amassé au fil des ans, tout ce fatras de jeux et de prières, tout ce bric-à-brac insolite de récits et d'amulettes, de contes ancestraux et de formules magiques. Elle divague aussi en regardant la frayeur bleue du ciel, le dépassement imaginaire des oiseaux.

out à coup, deux mains fermes s'abattent sur le bassin de Yachar et lui prennent les fesses. Il est alors violemment sorti du corps d'Ismïa et de leur rêve commun. Elle hurle de douleur et, lui, il suffoque de surprise. Ils ont peine à reconnaître les lieux et ce qui advient là de terrifiant. Le pénis légèrement gonflé est couvert des sécrétions intimes de leurs ébats amoureux. Le geste a été si violent qu'ils restent désemparés sous la fureur du soleil.

Yachar est maintenu fermement par les mains qui l'ont retiré d'Ismïa, malgré qu'il se tord et qu'il cherche à se déprendre. Et ils entendent un grand éclat de rire au matin, un immense brouhaha de sons bruyants et cruels. Yachar regarde les mains de Czeslaw qui le retient, qui l'empêche de s'enfuir. Il a le goût de pleurer tellement la séparation d'avec Ismïa a été brutale, tellement elle lui manque. Il se sent sali par le geste de l'homme qui ne cesse de rire. Czeslaw le montre à Julia qui, elle aussi, trouve la situation heureuse et amusante.

«Comme on vous prend tous les deux!» C'est Julia qui a dit cela, au milieu de son rire et de son étonnement. «Tu ne saurais si bien dire, ma belle.» La voix étouffée de Czeslaw rend l'heure insupportable. Il retient toujours Yachar et regarde Ismïa, en trouvant irrésistible d'avoir ainsi détruit leur rêve amoureux. «Comme ça, on fait des cochonneries!» Et il lâche alors Yachar qui s'éloigne immédiatement pour se défendre mieux, pour se cacher à la vue du couple.

Ismïa s'est assise et s'est protégée de ses mains. Elle ne veut pas être vue par eux, elle ne veut pas être donnée en pâture à ce couple qu'elle devine un peu malade, dérangé. Yachar est allé rejoindre Ismïa et s'est, lui aussi, recroquevillé. Il est désolé dans sa fatigue et son amour-propre. Il regarde le couple sans comprendre ce qu'il veut. L'homme et la femme se parlent bas en les regardant. Ils ont aux yeux une grande douceur, et du regret s'y imprime. «Nous n'aurions pas dû. C'était stupide de notre part. Nous ne savions pas.» Ils ont deviné, à l'air consterné que le garçon et la fille ont en ce moment, que l'instant devait être exceptionnel, qu'ils ont brisé quelque chose de sacré. «Nous ne savions pas que vous commenciez à vous aimer. Vous ne pourrez jamais nous excuser.» Czeslaw et Julia ont l'air sincèrement désolé.

Ils s'approchent du jeune couple et s'assoient eux aussi en tailleur.

Yachar et Ismïa s'enlacent en pleurant, car une détresse étrange monte en eux qu'ait été ainsi cassée leur première heure, leur venue au monde. Tout a basculé, et cette tristesse met le cœur à l'envers, détruit même le bonheur de la mer et celui du ressac. Il leur faudra du temps, il leur faudra toute la tendresse des aubes neuves pour réapprendre, pensent-ils, à aimer le bord de mer et le salin de l'air, leur douceur et la présence des ibis des rêves d'Ismïa. L'espace semble dévasté.

Il n'y a plus pour l'instant que ce couple abominable qui se tait devant eux, qui ne cherche même pas à quitter cette scène où il n'a rien à faire. «Nous aimerions être pardonnés.» Czeslaw a parlé très bas, avec un regret très vif dans la voix. «J'aime faire des plaisanteries. Parfois, c'est mauvais. C'est terrible.» Il tend la main pour se saisir d'Ismïa qui recule aussitôt. «Nous pourrions vous apprendre tant de choses si vous acceptiez d'oublier ça.» Ismïa est inquiète et supplie Yachar pour savoir si lui aussi ne serait pas tenté de succomber au sortilège. «Allez-vous-en, vous n'avez rien à faire ici.» Yachar a retrouvé quelque courage au fond de lui-même pour répondre à l'agression. Il voudrait pouvoir plus, se montrer capable de violence à son tour, mais seule la douceur d'Ismïa l'envahit. «Vous êtes si jeunes et si beaux. Vous nous ressemblez, vous savez. Est-ce que c'était bon?» La question est posée sans rire cette fois, comme si le sujet pouvait avoir à leurs yeux une importance profonde. Yachar et Ismïa auraient le goût d'en parler, de dire ce qu'ils ont ressenti, ce qu'ils ont vécu depuis l'aube d'hier, mais ils ne peuvent pas répondre. Yachar regarde Ismïa. Il n'en faut pas plus pour que Czeslaw et Julia pouffent de nouveau de rire. C'est sonore, l'air s'en remplit et la tête chavire. Ils ne se lassent pas de les voir. «C'est vrai que vous êtes si beaux et si jeunes.» Julia a parlé; la fraîcheur de sa langue chantante a couvert le bruissement des eaux, une incroyable beauté envahit leur destinée, ne semble laisser de place à rien d'autre qu'à sa propre présence. «C'est vrai que nous pourrions vous apprendre tant de choses. Il s'agit que vous le vouliez.»

Et Julia passe, en leur proposant de les initier, sa main droite sur ses seins et dévoile la blancheur exacte de la chair vive. Yachar et Ismïa regardent, envoûtés, l'harmonie dont ils ne perçoivent que la courbe parfaite d'un sein et d'une épaule. Vêtue d'une grande tunique brodée, elle a détaché une bretelle et a laissé tomber le tissu sur son ventre. Son sein droit est une lune au milieu du jour, une rondeur fascinante et blanche que les deux enfants regardent passionnément. Ils réagissent immédiatement. Si Yachar sent la turgescence de son sexe gonflé, c'est à cause d'une fulgurance nouvelle; et Ismïa, quant à elle, s'humecte aussi de son envie de modeler le galbe de cette forme parfaite. Ils ferment les yeux pendant que Julia tend la main vers Czeslaw pour qu'il la rende fatale dans l'odeur de varech et de poisson. Il sculpte ainsi les formes du ventre et des seins avec une impudeur surprenante. Elle reçoit chaque touche, chaque pression afin de montrer sa perfection de femme.

Mais ils se lassent vite à ce jeu-là. Elle se retire légèrement sur la gauche et rattache les cordons de sa robe. Czeslaw a surveillé l'émotion des deux jeunes et scruté le tangage rapide des deux bassins. Ismïa qui se déplaçait et Yachar qui cherchait à cacher sa verge trop visible. «Nous aimerions vous revoir, vous emmener avec nous.» Julia ne les regarde pas en disant cela. «Nous aimerions vous aimer nous aussi.» Et elle leur sourit avec une gentillesse désarmante.

«Avez-vous été étonnés hier?» Yachar et Ismïa baissent les yeux, espérant qu'ils comprennent mal ce qui se dit là. «Nous savions que vous nous regardiez. Nous savons quand quelqu'un vient près de la maison du bord de mer. Nous le savons toujours. Allons, dites-nous comment vous avez trouvé le spectacle.» Yachar et Ismïa sont confondus de gêne. Ils ne savent quoi dire. Les regards se fuient et ils sont tristes d'avoir été piégés aussi facilement. Ils auraient voulu que leur espionnage ait été secret, leur vision fugitive et privée. Mais voilà qu'ils avaient été découverts. Ils pressentent que le couple veut se venger d'eux, qu'il veut en quelque sorte une réparation. «Vous voudrez nous revoir, nous en sommes certains. Vous saurez bientôt à quel point vous le voudrez. Est-ce que c'est le sang ou les jeux qui vous ont le plus excités?» Elle enquête avec avidité. Elle attache la plus grande importance à ce que les jeunes devant elle pourraient bien répondre. Mais rien ne vient, rien ne s'ajoute. La déception peut se lire sur son visage, car elle voudrait vraiment que des liens se tissent entre eux. «Allons, nous avons bien le droit de savoir puisque vous nous avez pris, sans nous le demander, un moment qui ne devait être qu'à nous. » Julia a forcé un peu la voix, elle s'est faite insistante. « Nous voulons vous revoir. Nous allons vous laisser maintenant. Ce que nous avons fait tout à l'heure est bien assez terrible. Mais nous voulons que vous nous rendiez visite. Vous entendez. Pour le moment, aimez-vous si vous le pouvez encore. »

Julia se lève. Czeslaw les regarde intensément avant de se décider à son tour. Et il voit, juste à côté des rochers plats près de l'eau, la robe perlée d'Ismïa ainsi que la blouse amarante et le pantalon de Yachar. « Voilà. Nous allons emporter un gage pour que vous reveniez. » Yachar se crispe aussitôt. Il proteste qu'ils ne peuvent pas rester nus ainsi, qu'il leur faut leurs vêtements. Mais le couple s'éloigne en direction de la maison rouge.

Les deux enfants sont couverts du soleil qui les noie. Ils sont dévastés par l'apparition du malheur, de l'étrangeté. Ils s'enlacent et ne savent plus si l'heure du jour n'a pas vacillé, si l'inquiétude n'a pas tout confondu. Ils ont reconnu une fatalité dans ce dialogue qui se voulait envoûtant. Ils ont peur de ce qui a été demandé. Ils y ont saisi un ordre plus qu'une invitation. Mais il y a le ventre de Julia, ses seins, la forme parfaite qu'ils avaient. Ils ne peuvent pas prétendre rester indifférents à ce qui est apparu d'elle, si proche, si disponible. Ils sont tous les deux bouleversés par cette supposition qu'ils pourraient bien apprendre des secrets du couple de la maison rouge.

Chacun de son côté prend du sable dans sa main et le fait couler entre ses doigts. Ils imaginent que là-bas, d'une quelconque fenêtre du pavillon, les jumeaux ont surveillé la scène, qu'ils ont été témoins de ce mouvement fou de Czeslaw, de la séduction de Julia. De toute part, l'air soulève des rires sourds et lointains. Le passage des aigles est enfin répété.

Yachar et Ismïa regardent le couple qui s'éloigne. Ils sont nus sur la plage et le monde semble abîmé. Alors, Yachar rit, inopinément il rit de toutes ses forces, couvrant le bruit de l'eau, accompagnant le vol des pélicans et des mouettes, les rêves les plus extravagants, les plus absurdes. Il rit parce que l'air est bon. Il s'approprie à lui seul le moment tout entier, la perspective d'un avenir incomplet. Il regarde Ismïa qui, à son tour, se met à rire. La chaleur de l'été insiste sur ce qui reste de l'aube et de la sueur de la nuit. Ils sont ainsi, totalement abandonnés à eux-mêmes, et cette acceptation leur semble un cadeau inattendu. Une fois de plus leur totale nudité leur est donnée de façon absolue, mise en forme de leur vie, sorte de présage de l'amour et de la folie. Ils rient maintenant que le jour s'en vient vraiment, maintenant qu'ils sont de nouveau seuls pour continuer à récapituler leurs gestes.

Ils voient le couple se diriger vers la maison rouge et ils sont aveuglés par le reflet du soleil sur l'eau, par l'horizon si bas au bout de l'océan; ils sont accaparés par leur propre éblouissement d'être parvenus jusqu'à l'effervescence de la lumière. Ils se regardent ravis d'être beaux, et présents, et là. Ils savent le contentement parfait de ce qui naît en eux.

Sans vêtements, sans rien d'autre qu'eux-mêmes pour réaliser chaque seconde de cette journée encore neuve, ils se dirigent vers les pierres plates près du pavillon. Sous la plus grande, au creux d'un renfoncement, Yachar plonge le bras et en extrait un petit sac de figues mûres et une gourde d'eau douce qu'ils avaient apportés hier. Ils ont une faim fragile, le cœur trop occupé à d'autres œuvres, à des tâches différentes. Ils font éclater les fibres des fruits dans leur bouche, boivent et mangent en se regardant. Cet éclatement a des effluves de sources vives, donne à penser que la vie se fend en deux pour assouvir le désir et la soif. Ils pensent aux miels d'hier, aux cuissons chaudes des agneaux, mais le regret se tait devant la beauté des fruits, devant la gigantesque urgence du bonheur.

Les gestes leur paraissent exceptionnels tellement la peur tantôt fut considérable. Ils ont craint un instant de ne plus se revoir, d'être arrachés à cet endroit, à ce lieu particulier de leur rencontre. Ils n'ont plus que deux jours avant leur retour en ville. Les quelques kilomètres qui les séparent de leur travail, de leur pauvreté, les ont isolés de ce qui les rend parfois si dangereusement délicats.

Ils sont ici exilés, perdus. Ils mangent les fruits et le jus coule sur eux. Ils sont étonnés de ce qu'il est si facile de manger au soleil, de rencontrer l'exactitude d'une heure propice, la certitude de vivre des moments qui goûtent la figue et l'eau.

Yachar regarde la bouche d'Ismïa qui mastique, il voit comment cette bouche a le goût des choses, comment cette tête regarde la nourriture, comment elle aspire à boire, comment les yeux et les mains prennent avidement. Il aime déjà cela. Il ne voit plus que des gestes harmonieux. Lui-même, il se sent regardé intensément. Ils savent l'un et l'autre qu'ils n'auront pas de repos s'ils ne sont pas assouvis par tout ce qui fait la nouveauté de cette existence sans attache. « Qu'allons-nous faire ? » Yachar a la bouche pleine, et tout à coup il pouffe de rire crachant des résidus de pelures sur les jambes d'Ismïa. Ils rient de se voir ainsi, de savoir comment y remédier. « Tu nous vois rentrer en ville comme ça ? » Et ils rient de plus belle. Leur insolence fait du bruit. Ils savent l'impossibilité qui se précise de quitter la plage, les rochers plats, le bord de mer où on rêve si bien d'ibis et de frayeur rentrée. Et dans leur rire, la faim s'apaise.

Ils vont à la mer et s'étendent près du bord pour que l'eau vienne les lécher, les laver. Ils sont étendus au soleil, cuits par la chaleur déjà haute, et ils laissent glisser leur insouciante exigence de sommeil et de sel. Le risque est grand que les flots ne les happent en secret, qu'ils ne viennent les prendre à bras-le-corps, ne les entraînent au large. Mais ils s'endorment en jouant de connivence avec leur fatigue. Et la seule pensée qu'au réveil ils vont remettre en cause le jeu de leur passion ravive leur goût de faire des songes heureux et tendres, de s'abandonner.

L'atmosphère s'assoupit. L'air prend le temps de monter haut, de suspendre la pression qui, sur eux, s'exerce. Il faut un moment pour qu'ils retrouvent l'envie de revenir à la vie, de faire surgir les pulsions amoureuses. Pendant que les rêves imaginables se délient en eux, on voit sur leur peau le frisson du matin piquer la chair, éveiller l'épiderme. Les ibis les protègent des serpents maléfiques. Magiques, ils volent en rangs serrés autour d'eux, hiéroglyphes mobiles dans l'espace. Le rêve d'Ismïa les crée bleus sous le ciel pâle. Les oiseaux passent blancs et noirs partout ailleurs et leurs vols dessinent des arabesques aux tons multiples; ils sont des témoignages si vivants que le paysage évoque les chants sacrés du Nil, les oiseaux migrateurs en partance du Japon. Et toujours cette odeur sucrée des fleurs de cerisiers qui se lève dans la touffeur latente.

L'atmosphère est si chaude, si torride à côté des dunes. Mais ce sont ces plantes qui exhalent une amertume humide, les oyats et les carex qui surgissent de terre, juste devant les pins maritimes. Les parfums gîtent au centre de l'espace, enivrent. Il se fait un tourbillon dans le cerveau, et la tête chavire. Les rêves se chevauchent, se dispersent.

Yachar ne voit-il pas une femme nue venir à lui les bras coupés, toute en sang, marchant vite et folle pour le supplier de lui rendre ses membres ? Ismïa ne voit-elle pas, brouillés par la déroute du sable soulevé par le vent, des hordes de marcassins la pourchasser sur les dunes, nue et fatiguée, sautant et enjambant des ruisseaux égarés en plein désert ? Les rêves sont fous des odeurs des laîches, de cet amoncellement végétal qui drogue ainsi les songes et le sommeil.

Un marabout vient se poser près d'eux et leur montre sa laideur légendaire. On croirait qu'il va à lui seul implorer le paysage de rendre habitable le moindre escarpement, le moindre lieu pour la survie du jour. Les enfants dorment, l'un près de l'autre, tourmentés pourtant par des présences occultes, par d'innombrables froissements d'herbes et de rampements sous les pierres. Ils ont l'ouïe aiguisée, affinée par tant de relances des vagues. Ils sont juchés au-dessus des choses pour mieux voir la venue du réveil, la beauté que vont inventer leurs gestes imprécis.

Le monde n'est dérangé que par le bruissement d'ailes qui les effleurent en même temps. Cette activité secrète prend des proportions étonnantes et s'approche du cauchemar. Sur le battement de l'air, naviguent aussi un chant de sirène, le glissement imperceptible de papillons prodigieux. On croirait entendre des barrissements lointains, l'appel à la mort de quelque pachyderme à l'agonie. Tout le dérangement naturel des choses passe dans leurs songes, évoque en quelque sorte des plaintes sourdes venues d'aussi loin que le Nil ou que le Niger.

Rien ne peut s'apaiser. La hurlante percée de la nuit par des milliers d'oiseaux égarés trouble les rêves. Et ils pressentent dans l'opacité jaune de l'air un vague ibis de légende qui traverse l'horizon.

En se réveillant, ils sont transis. Le soleil s'est légèrement couvert sous une buée de vapeur. Ce n'est pas encore l'orage. Peut-être ne le sera-ce pas non plus, mais ils sont démunis. L'air frais couve sur le bord de mer. Toujours, ce sourire qui déplace la colère et l'effroi. Toujours, cette simplicité devant les événements qui rendent dérisoires les moindres oppositions, les moindres aléas.

Ils se lèvent, retirent leurs jambes de l'eau qui les lèche. Ils retournent aux pierres plates près du pavillon et ils récupèrent un sac de plastique rempli de vêtements. Ils en avaient fait leur valise avant de quitter la ville. Quand le couple est venu tantôt, il a cru qu'ils n'avaient pour tout habit que la robe perlée, que la blouse amarante et le pantalon de toile. Mais là, Yachar et Ismïa sourient de leur trésor, voient à quel point ils sont libres et heureux. Il revêt une djellaba rousse que brode un cordonnet brun en fils de soie, et elle, elle prend une tunique centrafricaine chamarrée de pourpre et de bleu que traversent de surprenants entrelacs. Chacun est prisonnier de la torpeur du jour qui s'est avancé. Ils s'habillent sans se presser. Ils ont toutes les autres heures du jour pour atteindre à cette euphorie qui les rapproche. Ils auront d'autres moments sans doute pour se remettre à courir et à se perdre.

Ils sont au milieu de leur deuxième jour; ils le savent, ils appréhendent l'instant comme une éternité. Mais elle voit Yachar qui rabaisse son pantalon et qui se regarde attentivement. Ismïa se penche et inspecte, elle aussi. Elle retient cet objet précieux, lui donne un baiser. «Tu es folle.» — «Allons, il faut manger maintenant.» Et d'un pas alerte, ils s'engagent en direction de l'est où, à l'horizon, on aperçoit des constructions sur la plage. Ils iront chercher du poisson cru et des oignons, de l'ail et du thé. Ils pourront enfin manger à leur faim. «Nous dépenserons tout ce que nous avons. Ce sera la fête.» Les baklavas goûteront les pistaches et le miel des îles grecques. Le repas devrait prendre des allures de festin.

Ils marchent face au lever du jour, sans savoir qu'ils ne résisteront pas à l'appel de Czeslaw et de Julia.

Pour l'instant, il n'y a plus que leur faim et leurs pas, que l'inexorable écoulement du temps qui leur reste en ce deuxième jour. Les premiers gestes ont préparé l'heure qui vient, cette solennelle promenade en dehors du monde. Mais les stands sont beaucoup plus loin qu'ils ne l'imaginaient et ils doivent s'arrêter souvent pour reprendre haleine et se reposer. L'heure est ainsi propice à la confidence, au dévoilement des secrets. Tout en marchant, Yachar pense à Ismïa, à ce qu'elle était avant lui, à ce qu'elle a bien pu vivre.

Au moment d'une étape, en jouant avec une tortue égarée sur la grève, Yachar ne résiste pas à son envie de plonger plus avant dans la vie d'Ismïa. Il lui demande de lui raconter la première fois où elle a eu conscience d'avoir un sexe, où elle a su qu'elle était femme en ce sens-là, afin qu'il apprenne ce que cet apprentissage cachait.

Ils ont alors cessé de s'occuper de la carapace dans laquelle l'animal s'était entièrement replié. Ce n'est plus qu'une chose qui semble vide à leurs pieds. Le temps se suspend un peu, tellement Ismïa hésite à répondre rapidement à la question de Yachar. Ils sont devenus sérieux et attentifs. Ils imaginent que ces premières confidences à propos de leur passé vont avoir une plus grande importance que leur faim et que leur marche. Ils sont assis sur le sable, et elle, gênée, regarde le sol, fait des cercles avec les doigts.

«Ce n'est pas facile à dire. Ça appartient au domaine du passé, au monde du secret. Pourquoi parler de ce qui est ainsi venu sans qu'on le veuille? Tu es bien curieux Yachar, tu es bien inquiétant.»

Et Yachar ne saurait dire pourquoi ces confidences l'intéressent, le concernent. Il veut tout savoir du désir d'Ismïa, de ce qui est né en elle, avant. «Allons, dis-moi. La première fois, le commencement. En l'apprenant, j'aurai l'impression de te connaître depuis le tout début.» Ismïa le regarde pour savoir s'il dit vrai, si le récit a du sens.

«C'était avec Rachel, ma sœur. Tu dois bien savoir cela depuis longtemps. Le jeu des sœurs, leur délicatesse. Il faut que tu comprennes qu'elle était si belle que je voyais le jour se lever chaque fois qu'elle quittait le lit pour aller à la lumière. Il faut que tu saches que nous partagions la même chambre depuis l'enfance. Elle est si belle, Rachel, que je me cachais parfois sous les couvertures pour pleurer sur moi, sur le sort qui m'avait fait naître moi plutôt qu'elle. Quand elle a réussi à se transformer, je n'ai pas cru d'abord à ces métamorphoses. Plus le temps passait et moins je la retrouvais telle qu'elle était. Nous n'étions plus pareilles, nous n'avions plus la même forme. Je regardais ma poitrine en croyant que j'étais un garçon, qu'on m'avait menti.»

Yachar rit en mettant ses mains sur les seins d'Ismïa, généreux malgré l'âge, malgré le tissu de couleur qui les recouvre. «Je crois que tu te trompais sur toi-même. Tu es devenue la plus belle. Je ne te crois pas.» Ismïa repousse délicatement ces mains qui en viendraient à la troubler.

«Allons, arrête. Ne m'interromps pas. Tu sais, elle devenait la femme la plus parfaite, la plus accomplie que j'aie rencontrée. Et le soir, à cause des chaleurs torrides du sable et du vent, elle se couchait toujours nue dans notre lit. Elle se mettait sous la clarté de la lune malgré le danger, les loups et les chacals, malgré que les visages peuvent se déformer quand les reflets sont bleus. Elle se couchait à la lune et devenait chaque fois une espèce de variation lente d'une ombre blanche et tendre. Sa peau avait des effets d'opale comme le bijou de ma mère.

Un soir, c'est moi qui suis venue près d'elle. Je voulais façonner ses seins qui devenaient si beaux à la lumière de la nuit, je voulais mettre ma bouche sur elle, je voulais juste mettre ma tête sur sa poitrine pour dormir. Je pensais que c'était pour dormir vraiment. Quand elle m'a sentie venir, elle s'est dégagée pour que je m'approche de son sourire. Elle était tendre et m'incitait à être sur elle, près d'elle. J'ai placé mes lèvres juste au creux de sa poitrine et je l'ai embrassée. J'en ai été si gênée que je me suis enfuie. Je suis sortie de la chambre, troublée et folle. Je suis allée à la fontaine et j'ai bu, je crois, l'eau la plus froide de ma vie.

Quand je suis revenue, elle m'attendait. Elle semblait reposer, simplement, dans la plus grande paix de la nuit. Elle m'a dit de m'approcher, de ne pas être bouleversée. Je me suis collée à elle, à sa chaleur, à sa couleur qui me hantait depuis si longtemps. Et là, elle m'a dit de me regarder, que je verrais bien qu'au bas de mon ventre, j'avais déjà du duvet, que les signes venaient de l'enthousiasme et du trouble. Elle m'a demandé ensuite si j'avais déjà mis mes doigts dans ma fente pour voir ce que ça faisait à l'intérieur. Je n'ai pas compris ce qu'elle voulait dire à ce moment-là, je n'ai pas saisi qu'elle allait m'ouvrir le chemin jusqu'à toi. Alors, avec une extrême délicatesse, c'est elle qui a su me dire que j'avais un corps, le sculpter de sa main posée bien à plat sur mon ventre. On aurait dit qu'elle lissait une pâte qu'elle allait mettre au four peu après. Elle a eu des gestes faciles, des cercles et des pressions qui faisaient surgir en moi une euphorie inconnue.

Je ne savais pas jusque-là que j'avais un ventre, que ça pouvait s'appeler la douceur d'avoir une peau, de la sueur, du plaisir. Elle a fait des cercles jusqu'à mes jambes, jusqu'à mes cuisses. Elle les a ouvertes malgré ma peur insensée de livrer le passage à sa main. Et elle m'a montré le chemin jusqu'à moi d'abord, avant que je comprenne qu'un jour j'allais te rencontrer.

Elle est venue à l'intérieur de mon ventre. Je te jure que c'est la sensation que j'ai eue. J'avais fermé les yeux et j'ai cru qu'elle s'était métamorphosée en esprit du désert, en souffle et en souplesse, qu'elle n'était plus elle-même, devenue la substance de ce qui entrait en moi de révélation. Elle est allée à ce nid que je n'habitais pas. Le doigt qui y est entré m'a bouleversée. Il m'a fait aussi peur que mon goût de le savoir là était violent. Elle a palpé mes lèvres et mon clitoris. Elle a dit le nom de chaque chose et de chaque geste. Elle était en train de m'apprendre que je pourrais chavirer de volupté, qu'il y aurait des sensations neuves à chaque fois que j'y viendrais.

Mais quand elle y a mis la langue, j'ai cru qu'elle était folle et que je le devenais. J'avais peur de tout, et cette attitude pourtant me ravissait. J'étais éblouie par ce qu'elle savait. Elle a mis en moi sa langue, a tourné et tourné si longtemps autour de mon clitoris gonflé que j'avais l'impression que bientôt quelque chose de moi allait surgir, un cri lent et flou, comme si mon souffle se coupait. Ma sœur avait des douceurs maléfiques, avait sa bouche là pour me boire, pour m'apprendre que j'avais un nom. Sa langue fouissait, faisait des vrilles. Elle me noyait complètement de sa salive et suçait ce qui sortait de moi. Elle embrassait mon petit médaillon à pleine bouche, me faisait venir sur ses dents. Je me savais donnée à ma sœur qui me léchait et me léchait sans fin. Sa langue passait sur mes lèvres, entrait en moi, me fouillait. Pour la première fois, mon bas-ventre vivait vraiment par la bouche de ma sœur. Elle mettait ses dents sur ma peau tendre, elle tirait légèrement sur mon clitoris et me faisait chavirer sur sa face. Elle était rouge et j'étouffais. Elle venait et revenait sans cesse pour que je mouille plus. Elle a placé tout à coup deux de ses doigts sur ma fleur et l'a ouverte, épanouie et miraculeuse, en continuant à me lécher, à me prendre.

Je n'étais plus de ce monde. Je me trouvais si petite, si faible que je relevais malgré moi mon bassin pour que sa tête entière entre en moi, pour que je suffoque de ne plus savoir où me mettre. Et les premières vagues folles de mon ventre m'ont prise par surprise, brusquement. Je ne m'attendais pas à une telle révolution, à un tel chambardement.

Tu ne peux pas savoir, Yachar, ce que c'était que d'apprendre à avoir un sexe avec une telle douceur, avec une telle violence aussi. Ma sœur était ma maîtresse et j'en étais bouleversée. Je pleurais pendant que de mon ventre des vagues et des crampes et des soubresauts et des étouffements et ce que je ne saurais décrire m'ont menée ailleurs. Ma sœur n'était plus qu'une manière de me faire jouir, de me faire mourir de joie.

Quand j'ai ouvert les yeux, j'ai su que les jours qui allaient venir m'apprendraient peut-être que j'étais belle. Je n'étais plus la même. Je ne m'appelais plus la petite Isme, jamais plus je n'allais m'appeler ainsi. J'avais de l'importance, je savais aussi que j'avais une sœur qui pouvait m'aimer assez pour que je ne reste pas seule les nuits de pleine lune à regarder sa beauté magique et bleue.

C'est à partir de là que l'ibis est apparu. Il est sorti de moi dans mon rêve. J'ai ouvert les jambes pour que Rachel vienne de nouveau en moi. Mais avant qu'elle ait pu s'approcher pour m'embrasser, l'ibis bleu a jailli de mon nid. Il a traversé le passage de chair sans un cri, sans aucune douleur. Le bec, la tête, et ses ailes qui, d'un seul coup, se sont ouvertes avec un soupir d'enfant. Le froissement des plumes ruisselantes déployait dans la chambre une manière de bruit d'étoffe balancée par le vent. Il a répandu partout l'odeur énergique de son battement d'ailes. L'ibis est enfin sorti de moi et s'est levé difficilement. Il s'est posé sur mon pubis et s'est séché, si maigre à la lumière. Quand il fut bleu et lisse, il a encore ouvert ses ailes et s'est échappé par la grande fenêtre ouverte sur la nuit. L'ibis ne m'a plus jamais abandonnée. Il apparaît chaque fois que la lune revient les jours de grandes marées, quand je saigne les fins de mois où mon liquide s'écoule.

C'est comme ça. J'ai eu du désir pour elle tant qu'elle est restée à la maison, tant qu'on ne l'a pas donnée à celui qui a bien voulu d'elle. J'ai tout perdu alors.

Yachar, quand ma sœur a cessé de coucher dans mon lit, que je me suis retrouvée seule, c'est ce qui a aboli la chambre. C'est l'ibis qui m'a fait tout quitter. Je n'ai pas pu résister à l'air de mort qui avait envahi la pièce. Je n'avais plus ma sœur, ni sa bouche, ni ses mains, ni sa niche. J'ai fui la nuit en suivant dans le ciel des traînées d'étoiles, le vol des oiseaux de proie. Quand je suis arrivée à la ville, je n'ai pas cru que je pourrais jamais me remettre à aimer la mer et le désert, je n'ai pas cru que l'espace pourrait un autre jour avoir un autre nom que celui de Rachel. Et j'ai vendu des objets au marché, pour manger, pour attendre que le temps me ramène un jour à Rachel. Mais je ne sais plus où elle est. Je n'ai plus rien su d'elle quand il est venu la prendre. Je me suis retrouvée avec mes deux mains la nuit, et j'ai appris que je pouvais aussi retracer le chemin du plaisir, seule, en rêvant qu'elle reviendrait. J'ai vendu du miel et du thé en regardant passer les acheteuses de la ville, en cherchant à identifier celle qui n'était plus jamais là.

Voilà, Yachar, comment ma sœur est venue et est partie. Je n'oublierai jamais que le désert aussi a des secrets pour qu'on puisse continuer à vivre au soleil. Tu es mon être du jour, Yachar. Ma sœur m'a appris comment s'appelait la nuit et, sans le savoir, elle m'a donné un oiseau. »

Bachar est troublé par les confidences d'Ismïa. Il ne sait pas s'il est jaloux de ce qui s'est produit avec Rachel ou s'il ne trouve pas plutôt exceptionnel d'être ainsi aimé par une sœur.

Sans doute, Ismïa ne serait-elle pas ce qu'elle est sans ces jeux de nuit, sans ces rêves inaccoutumés autour de l'oiseau sacré et des puits sans fond. Rachel a disparu de sa vie sans rien laisser d'autre à Ismïa que le goût de fuir et de s'extraire de cette maison maintenant désertée.

Lui, il ne sait pas s'il devra conter des choses à Ismïa, il ne sait pas s'il ne serait pas mieux de garder pour lui l'origine de ses jeux.

Pour l'instant, ils reviennent des échoppes où ils ont mangé à satiété. Le bord de mer ouvre l'horizon à coups de lames strictes et fraîches. Le temps disparaît sous une vapeur humide, et le jour se contente de passer sans tempête et sans dérangement. Ils regagnent les roches plates où ils ont élu domicile depuis la veille.

Rien n'a plus été dit à propos des confidences d'Ismïa, mais Yachar sait qu'elle aimerait juger de sa réaction, qu'elle souhaite que le sujet revienne entre eux.

Mais à cause des longues foulées qu'il faut faire, à cause du balancement du corps, surgit une langueur propice à la sieste. La djellaba de Yachar est ample et fait d'interminables plis et replis à chacune de ses enjambées. Ils vont en un silence commun qui accomplit parfaitement leur intention de marcher. Il y a là une entente tacite qui rend les choses admissibles. Et plus ils approchent du lieu vers lequel leur tension les guide et plus Yachar sait qu'il devra faire lui aussi le récit des premiers événements, pour qu'entre eux l'équilibre se refasse, pour qu'il y ait de lui aussi des secrets enfin dévoilés. Ils reviennent, le pas de plus en plus rapide pour atténuer leur inquiétude, pour se soustraire un peu à cette angoisse secrète qui fait se chavirer le cœur. Il n'y a plus moyen de reculer, il faut qu'ils aillent jusqu'au bout de ce qui peut se dire d'eux. Ils voient ainsi apparaître le lieu où ils auront à raconter ce qui de leur vie est depuis si longtemps camouflé.

Ils atteignent le creux des pierres où ils laissent leurs vêtements avant d'aller à la mer, avant de retrouver le plaisir de tous les jours du monde qu'ils voudraient à chaque jour apprivoiser. Le temps va passer souple sur eux jusqu'à ce que la mémoire reprenne ses droits. Il comprend ce qu'Ismïa veut savoir. Mais il retarde le moment de lui faire des confidences. Il se trouve prisonnier de ce temps-là. Il ne voudrait pas que d'autres personnes soient mêlées à leur vie. Mais l'heure passe, le temps de dire se rapproche.

«Et moi...» Il s'interrompt, empêché par une gêne irrépressible de débuter, comme si allait se jouer quelque chose de l'honneur et du clan. «Moi aussi j'ai eu un frère...» Ça coince dans sa gorge, ça s'étrangle. «Je vois, je sais, mais continue, il faut que tu me dises.» Il la regarde et poursuit.

«Il est beau lui aussi, aussi beau que des alezans en course, que les bêtes qu'on imagine la nuit et qui font peur. La lune aussi ce soir-là, comme pour toi. Je suis sûr que tu m'as envoyé ton oiseau pour que j'entende ce que la noirceur taisait. Il s'est approché aussi nu que tous les soirs depuis toujours. Il s'est collé à moi en appuyant son organe bandé sur ma cuisse. Il frottait son membre en me pressant très fort contre lui. J'ai descendu ma main le long de ma fesse pour m'en saisir. J'avais de l'attirance pour sa peau, son odeur. La force de mon frère me laissait plein d'admiration. J'ai ressenti une immense fierté qu'il me permette de l'atteindre, de le prendre. Une impression de puissance se dégageait de la tension même de ses muscles. Quelque chose de suave se répandait par la pression de ses bras. Je me suis laissé porter par cette douceur de son sexe sur la cuisse, par l'érection folle qui me gagnait. "Tu as de jolies petites fesses rondes, petit frère. Tu vas commencer aujourd'hui à jouer avec moi. " Il a cherché à retenir ma main, il m'a placé sur le dos pour qu'il puisse m'embrasser sur les cheveux. J'avais attrapé son phallus raide et dur. Il a immédiatement mis sa main sur mon vit pour le frotter. Nous étions deux à souhaiter ce développement accordé. Il devenait de plus en plus long, et a tendu son bassin vers le haut pour que je le saisisse mieux, plus fermement.

Et j'ai vite compris les exigences de la jouissance de l'autre. Nous nous excitions pareillement, nos organes brûlants, à chaque contrainte des poignets. Il m'a tenu et a essayé de maintenir ma première érection avec lui. J'ai immédiatement éprouvé du désarroi devant ce qu'il faisait. "Continue petit frère, allons, continue. " Alors, j'ai lâché son membre pour le voir mieux, pour regarder ce pénis si ferme et si vivant. La nuit me renversait la tête, j'avais des idées folles, des pensées de froissements de feuilles et de tiges érigées.

Je savais que la jouissance m'arrivait, je devenais fluide et tendu. Il s'est mis à rire de satisfaction. "Tu vois que toi aussi tu en es capable. Regarde-toi, tu vas venir aujourd'hui. " J'examinais sa verge que je trouvais tellement grosse, tellement fantastique. Je me regardais bander et j'espérais que j'aurais un pénis aussi gros que le sien, malgré mon âge. J'ai vu que j'aurais pu consentir à n'importe quoi à ce moment-là puisque j'étais prêt à faire plaisir de toutes les façons à celui qui savait si bien me prendre, si bien rendre fuyante chaque seconde, chaque passage du vent dans la chambre.

C'est là qu'il m'a demandé de le mettre dans ma bouche. Je n'ai pas compris tout de suite. J'ai pensé qu'il voulait que je l'embrasse. Il s'est ramené vers moi jusqu'à ce que son bassin soit juste sous mon nez. Il a pris son pénis entre ses doigts et il m'a mis son gland sur les yeux, pour que je ne voie plus rien d'autre que l'image rouge et raide devant moi. "Avale-le!" Et il l'a passé sur mes lèvres pour que j'ouvre la bouche, pour que j'aie faim de lui.

Mais je suis devenu un homme entre ses mains, j'ai cherché à bander comme un homme et j'étais prêt à apprendre des jeux dont jusqu'à maintenant je n'avais aucune idée. J'ai ouvert les lèvres et je me suis mis à le masser, à faire jaillir son gland, mettant le plus possible du pénis de mon frère dans ma bouche et j'ai compris subitement que ça allait continuer à lui faire plaisir. Je faisais bouger ma langue sur sa queue, autour du gland bleu, bouton immense entre mes dents. J'avais des haut-le-cœur, mais j'aimais l'impression si ferme de son organe que j'engloutissais jusqu'au fond de ma gorge. Il fouillait à petits coups souples. J'ai gonflé mes joues de sa chair chaude et je me suis demandé s'il n'allait pas gicler là, s'il n'allait pas déborder. Il soufflait fort, il réveillait la nuit.

Nous étions seuls à la maison. Il savait que le bruit n'allait ranimer rien d'autre que l'esprit de la lune et nous, en sueur. Il a pressé ma tige entre ses doigts, si doucement que je pensais qu'il m'avait enduit entièrement d'huile d'amandes douces. Chaque variation pour lui semblait couler de source, semblait jaillir. Sa beauté était fulgurante avec son grand triangle de poils noirs, ses jambes pleines de poils touffus. L'huile ruisselait de ses pores, quelque chose de lui s'est mis à exsuder. Il passait sous mes doigts avec souplesse.

Il a pivoté, en faisant vriller sa flèche au fond de ma gorge et j'en étais stupéfié et ravi. Il s'est déplacé pour me prendre, pour que je sache aussi ce qu'une langue pouvait faire à mon gland. Il s'est mis à sucer et à sucer. À chaque succion, c'est monté dans mon pénis, j'allais moi aussi jaillir. Je me suis contracté, je voulais me tendre pour exploser. J'avais les testicules si compressés que, tout à coup, je me suis abandonné. C'est venu comme ça, un premier jet qui s'est engorgé dans le conduit… puis un autre qui l'a fait gonfler… puis un autre plus fort qui a tout poussé jusqu'au bord… puis l'organe s'est comprimé… et le sperme a jailli en quatre fulgurantes pressions qui ont rempli la bouche de mon frère qui a tout pris… jusqu'à la moindre goutte… en suçant et en suçant toujours… en tirant sur ma verge… en pressant pour que je continue à me vider au fond de sa gorge. Ses lèvres me rendaient fou. Il tournait la langue et encore la langue et je ne savais plus où j'étais. Je n'avais pas cessé de jouer avec son propre membre. Je touchais son scrotum enflé du besoin d'éjaculer. Il frottait sa tige raide sur ma poitrine, et je giclais pendant qu'il frottait son sexe en remontant jusqu'à ma gorge.

Une grande fatigue et une grande surprise m'ont gagné. J'ai perdu conscience dans la bouche de mon frère. Je lui avais donné ce que j'avais de mieux en moi. Je ne savais plus où j'existais, où la scène avait lieu. L'air suffoquait avec nous, plus rien d'autre que nos sexes chauds n'avait d'importance, je basculais au milieu d'un univers fou.

Il m'a regardé en passant sa langue sur ses lèvres pour avaler jusqu'à la dernière goutte de ce que je venais de lui donner. Il est venu pour m'embrasser. Il me disait que j'étais beau, que mon sperme goûtait bon. Il resplendissait. Il s'est mis à genoux de chaque côté de ma poitrine et a pris d'une main ses testicules et de l'autre a frotté son pénis en me regardant. Il m'incitait à comprendre ce qu'était un homme. Et à mesure qu'il se massait, son sexe est devenu plus dur, plus gros, a pris des teintes d'un bleu intense. Et avec des coups de reins habiles et souples, il m'a giclé son sperme sur la figure, à coups répétés et répétés. Il me semblait que j'en étais couvert, plein. Ça me collait aux joues, aux lèvres et je n'osais pas le goûter, comme lui l'avait fait. Je n'osais plus rien faire devant ce qui venait de se produire. J'entendais le souffle de mon frère qui laissait filer une plainte sourde et heureuse. Il s'est couché alors sur moi et m'a léché le visage, s'est repris lui-même, s'est avalé. Il mettait sa langue sur mes yeux, sur mes sourcils. Je devenais poli et beau, me semblait-il, aussi beau que lui, et homme, et fait comme lui. Il a pris le temps qu'il a pu pour achever son travail et je constatais sur mon ventre que son sexe devenait mou et souple.

Les sens reprenaient leur place, mais je suffoquais d'étonnement et de surprise. Il s'était produit une chose insolite, du sperme était sorti de moi grâce à lui, avec lui. Je savais maintenant que je pourrais continuer à rêver aux mouvances du monde. J'aimais sa peau sur la mienne. Il était étalé de tout son long sur moi et il se mettait à rêver. Il disait qu'il avait enfin un frère à sa convenance. "Tu devras recommencer avec moi, quand je le voudrai, chaque fois. Je suis l'aîné." Et j'ai su que j'en avais autant besoin que lui. Ça ne lui servait à rien de prendre ce ton autoritaire, car ce que j'espérais à ce moment-là, c'est qu'il reprit ses jeux avant que le soleil ne se soit levé, avant que cette nuit ne soit définitivement avalée par le passé.

Il m'a paru, quand il s'est redressé au-dessus de moi, qu'il se mit debout et que je le vis immense et splendide, ses testicules bien en place entre ses deux jambes fortes, qu'il était plus beau qu'avant. Mon frère se montrait, me dominait alors que j'avais la tête entre ses jambes. Il me semblait que quelque chose m'apparaissait pour la première fois, que ce qu'il avait entre les cuisses n'avait été vu par personne d'autre que moi. J'ai pris mon pénis entre mes mains et je me suis mis à le flatter en regardant, comme cela, le sac de mon frère. J'ai vu son pénis se dresser là-haut, bander et bander encore. Il frottait, tirait, enfournait sa tige et il râlait, alors que moi je suffoquais de voir que ça allait revenir.

Il s'est penché et a posé une main sur mes fesses. Il les massait, les pinçait à me faire mal. Il m'écartait les jambes, me forçait à m'ouvrir et j'ai compris qu'il introduisait un doigt dans mon anus. Il y enfonçait l'ongle à me faire crier, et je bandais plus fort, le ventre chaviré, en morceaux. Je perdais le souffle devant l'étonnement qu'on pût ainsi avoir de ces gestes privés. Il me faisait jouir en me surprenant. J'avais au creux des mains ma verge à vif et, lui, il allait à l'intérieur de moi avec des poussées insolentes et folles. Je savais que j'allais éjaculer sur ma main et je lui ai crié que je voulais qu'il m'avale, que je devais me retrouver sur sa langue, dans la souplesse de sa bouche. Il s'est rendu à ce que je demandais. Il m'a pris une seconde fois. J'avais le tournis et ça me faisait mal partout. C'était inattendu et splendide. Il fallait que ça ne s'achève jamais, que je le sache capable de me prendre de lui-même. Lui aussi est revenu sous la souplesse de ma langue, au fond de ma gorge. Il tremblait et ses sursauts me renversaient. J'étais gorgé de lui à en crever.

C'était bon et j'ai pleuré à cause de ce que je venais de découvrir, parce que je savais que cet exercice n'était qu'une première fois, douce et parfaite avec mon frère que je trouvais si beau. J'avais dérangé l'ordre des choses avec lui. J'avais goûté enfin à un autre sexe. Nous avons eu cette nuit-là une manière de fête étrange et singulière. Nous étions aussi des corps aux abois. »

Ils se taisent de nouveau. C'est pour protéger cette intimité survenue entre eux juste à l'heure des confidences. Ils vivent des émotions particulières; et leurs pensées, en ces instants secondaires où les choses du monde se suspendent et où ne restent plus que les vivaces retours de la mémoire, ont des audaces souveraines. Ce qui hante alors l'esprit tient du miracle. À ce moment-là, il est possible de revivre avec une intensité renouvelée les chocs et les émotions antérieurs.

Yachar pense actuellement à son frère, comme Ismïa à Rachel. Leur tête est remplie d'odeurs et de désordres, de réminiscences heureuses. Chacun a les mains moites et s'attarde sur cet instant privé, tel un cadeau de la mémoire. Yachar repense à ce que Yacheb lui a appris, à ce qui s'est ouvert d'avenir avec lui. Il en retrouve une nostalgie précise dans les muscles, et son bien-être actuel fait ressurgir cette sensation particulière. Et Ismïa est dans le manque de celle qui savait lui sourire sous les lunes accomplies.

Malgré le silence qu'ils gardent, on entend la salive qui se boit, la langue qui sape des liqueurs secrètes. Au-dessus d'eux, plus rien d'autre que le vol égaré d'une aigrette, sa couronne de plumes fait des flammèches hérissées sous le reflet du soleil. Le vent soutient ses ailes et la transporte. Quant à eux, ils sont au centre de leur indifférence, accroupis au bord de la mer; ils attendent que la parole revienne. Le vent soulève leur vêtement, s'insinue près d'eux sous les voiles. Ils frissonnent sous la souple caresse qui leur passe si subtilement sur les muscles. La sensation de ce vent chaud les apaise.

Yachar se laisse tomber sur le dos et se met à se couvrir de sable comme d'un linceul. Il ramène tout le sable qu'il peut sur lui avec de grands mouvements circulaires des bras. Il s'est dévêtu d'un seul geste rapide des mains pour se faire cuire sous la gravité essentielle du soleil de midi. Il s'enfourne sous la chaleur de la plage, devient crabe à son tour, insecte fouisseur.

Ismïa le regarde étonnée et ravie. Elle lui envie ces moments instinctifs où il fait advenir l'étrangeté. Elle s'approche en riant et l'aide à se couvrir entièrement. Il n'est plus qu'une momie couchée sur le sol, immobile et précaire, qui se donne à la terre pour l'éternité. Elle va chercher la grosse conque qu'ils ont découverte tantôt en revenant des étals et l'emplit lentement d'eau salée. Et elle arrose ce sable qui le cache, avec une obstination répétée. Elle fait de nombreux allers et retours pour que la forme étendue ne soit plus qu'un tout petit monticule brun foncé qui sorte de l'étendue plane de la grève. Le galbe abandonné devient alors un genre de catafalque rôti qui sourd des profondeurs. À cet instant seulement, Ismïa peut en modeler la forme. Des orteils aux cheveux, chaque muscle, chaque méplat, chaque rondeur de Yachar est reformée sous ses doigts. Elle refait Yachar qui devient cette statue de sable mouillée sur cette plage perdue.

Elle en conçoit une joie profonde. Il ne serait plus qu'un objet sous ses mains, que sa chose inévitable et belle qu'elle seule aurait moulée, conçue. Ces gestes lents et précis calment la tension qui se faisait jour lentement dans l'heure présente. Cette activité inutile rend possible le rêve d'Ismïa pour Yachar. Elle ne voit plus que l'ovale laissé libre devant ses lèvres, elle ne regarde plus de Yachar que ce gisant de sable, immobile et mortuaire. Elle n'en éprouve aucun chagrin, aucune crainte. Tout au plus s'efforce-t-elle de sourire pour bien faire comprendre que c'est un jeu. Elle a moulé le sexe de Yachar avec une étonnante précision. Elle voit cette queue calmée et ces bourses arrondies; elle étouffe un cri de ravissement juste à la pensée que cet organe l'a enfin pénétrée. Elle se penche et l'embrasse comme on fait aux statues dans les églises. Elle trouve à sa folie toutes les excuses du monde.

Tout ce cérémonial a des allures de messe noire ou de sacrilège. Ils jouent en ce moment avec l'idée de la mort, avec d'égyptiennes réminiscences, des contes à dormir debout. Ils ont un peu peur l'un et l'autre d'aller trop loin dans cette transgression des tabous. Peut-être sont-ils en train de mettre en place une scène comme au théâtre, quand il faut trouver le moyen de surseoir à la peur, quand il faut retrouver le chemin de la vie. Yachar ressemble à une momie ensablée, longue présence sculpturale insérée dans la plage, et il ne bouge pas. Il laisse sur lui passer la chaleur du jour et les mains d'Ismïa. Il se refait un corps de terre pour renaître avec la mobilité retrouvée de ses muscles.

Mais cette inertie absolue de Yachar inquiète Ismïa, sorte de prémonition inévitable. Elle se jette sur lui, se roule sur la forme étendue et dégage les joues, les lèvres qu'elle embrasse, les yeux qu'elle regarde. Yachar revient au monde au milieu d'une tranquillité fabuleuse. Il n'est plus qu'une affection livrée, qu'une détente heureuse. Il répond aux baisers d'Ismïa sans presse. Car la terre l'a insidieusement rempli de sa force, de son indolence.

Il enlace Ismïa, la voit sur lui avec cet air inquiet qu'il ne lui avait pas revu depuis la veille, depuis qu'ils sont arrivés ici. Derrière lui, sur le fond du ciel, se dégage la forme mouvante des pins maritimes. Ils sont d'intraitables balayeurs de vent dans l'image renversée que Yachar perçoit du monde. Sens dessus dessous, les choses de la terre s'accrochent au sol, résistent. Il retient Ismïa dans ses bras parce qu'elle-même risque de tomber vers la profondeur bleue derrière elle. «Nous avons fait le tour de nos premières fois maintenant. Il faudra savoir recommencer, c'est tout.» À la voix d'Ismïa, on perçoit une détresse inattendue. Elle aurait voulu que ce qui est nouveau en sa vie ne cesse jamais de se renouveler. Et Yachar lui apparaît, il remplit le paysage de son habituelle présence. Mais elle chasse un mauvais présage, cette pensée insensée.

Elle retrouve aussitôt sa paix d'être dans les bras du jeune Yachar, et c'est cela, l'invention de leur conquête. «J'aimerais que tu bouges, que tu reviennes à la vie. Tu m'as fait peur.» Et Yachar se relève d'un bond, court se jeter sous la première vague devant lui, se lave du sable qui l'ensevelissait. Il revient en courant et, tout trempé, se jette sur Ismïa qui a un cri de surprise. Il la prend à bras-le-corps, l'enlace, la soulève et la porte à la mer. Il la jette dans l'eau furieuse, abandonnée. Elle rit et se tord, montre l'éclat blanc de ses dents, enveloppe Yachar de son sourire.

Le monde retrouve instantanément son ordre, chaque détail reprend sa place, le cycle des expériences qu'ils vivent entre eux s'accorde. Ils sortiront de la mer revivifiés, prêts à renouveler le monde. Ils iront se sécher et trouveront bien comment meubler cette deuxième journée de leur histoire. Tout est calme. Sous le déferlement, ils ne sont plus que deux enfants heureux qui redécouvrent ensemble la folie de l'eau, l'extravagance salée de son goût. Ils se noient de lumière et de sel, tournent autour de l'idée du bonheur comme s'il était trop dangereux d'y penser, comme s'il ne fallait pas tenter le diable. L'aigrette revient chercher sa route dans l'égarement de la lumière. Elle passe au-dessus des arbres sans remarquer le trou laissé sur le sol par la tombe improvisée de Yachar.

Ils se sont séchés en laissant passer le temps sur l'eau. Sans se presser, sans essayer de ramener l'inquiétude entre eux. Ils marchent au bord de la mer en direction du petit pavillon dont ils ne se sont pas approchés depuis hier. Ils savent que les jumeaux y sont. Ils les ont vus, de loin à l'aube, sortir au milieu de la cour. Depuis le début, ils ont conscience qu'ils sont là, mais ils ne s'en méfient pas. Aucune pudeur devant eux, aucun soupçon. Ils savaient qu'ils ne viendraient pas vers eux, qu'ils les laisseraient tranquilles. Ils n'ont donc pas craint de se mettre nus. Ils sont discrets les jumeaux, rien ne laisse croire qu'ils auraient pu les épier.

Mais c'est vers leur pavillon qu'ils ont entrepris de se rendre. Une impulsion, un goût de voir, de savoir. Ils marchent en silence depuis qu'ils ont appris leurs premiers secrets, depuis qu'ils ont mis l'œil tout près de leur passé réciproque. Cette vie entre dans le présent, fera partie d'eux désormais. Ils sont en train de mettre en place les éléments qu'ils vont garder de ces nouvelles histoires. Pour l'instant, ils marchent, sans trop savoir pourquoi ils ont pris cette décision d'aller au bout de leur curiosité en ce qui concerne les jumeaux.

La djellaba de Yachar se froisse au vent, de même que la robe multicolore d'Ismïa. Ils sont des drapeaux dans l'air. Ils se regardent, s'arrêtent et rient. Leur bonheur est plus intense que ce qu'ils auraient pu imaginer. Ils rient de savoir que chacun a maintenant une énigme de moins, qu'une partie de ce qu'ils sont est maintenant connue. Ils s'interrogent du regard pour savoir s'ils vont continuer en direction du pavillon ou s'il vont rebrousser chemin. Mais ils savent qu'il ne leur reste pas beaucoup de temps avant de rentrer en ville, qu'ils ne doivent rien manquer de ces trois jours qu'ils ont volés sur leur temps de travail. Alors, pourquoi ne pas aller voir ce qui se passe chez ces étrangers ? Peut-être auront-ils l'occasion d'être confrontés à d'autres événements particuliers, d'apprendre d'autres leçons qui vont les mener plus loin.

Or, instinctivement, ils ralentissent le pas, vont contourner le bâtiment comme ils l'ont fait hier en s'approchant de la maison rouge du bord de mer. Il faut qu'ils soient discrets, qu'ils percent le mystère des deux frères puisqu'il s'agit d'un jeu de plus entre eux. Ils font un détour du côté des dunes pour atteindre la maison par derrière. Ils s'imaginent que les gens qui vivent devant la mer ne cessent jamais de la regarder, de la surveiller. Il faut donc qu'ils évitent de se présenter de face pour qu'ils ne soient pas vus, pour que l'aspect clandestin de leur recherche soit sauf. Mais il n'y a pas de mur, pas d'enceinte qui protège le jardin. La beauté du lieu est à l'avenant, en un état de délabrement essentiel. Il y a plus de risques de se faire surprendre; et ils veulent à tout prix lever le voile sur l'intimité des jumeaux, transgresser des barrières, se donner le monde avec plus d'avidité pour que chaque éventualité de vie leur soit possible, pour s'approcher au plus près des choses qui leur livreraient les dimensions du plaisir.

C'est alors qu'ils entendent rire par une fenêtre ouverte sur la cour. Ils voient que les volets sont fermés mais que les lattes en ont été gardées entrebâillées. Ils devront faire attention, mais ils décident de s'approcher. La cour est jonchée d'objets divers, de boîtes et de bouteilles, de saletés sans nombre qu'ils sont obligés d'enjamber. Un seul bruit, et ils seraient découverts. L'aventure les fait sourire. Leur désir mutuel leur laisse un peu de répit, une possibilité de refaire leur univers. Ils ont beaucoup vu, parlé et joué depuis hier; cette escapade du côté du pavillon les libère un peu d'eux-mêmes, les remet à neuf. Ils vont au milieu de la cour à l'aventure.

C'est avec infiniment de précaution qu'ils s'approchent de la fenêtre, qu'ils se relèvent légèrement pour jeter un coup d'œil dans la pièce. Il s'agit d'un débarras rempli, contrairement au reste de la maison, d'un fouillis invraisemblable de caisses et d'objets hétéroclites. Yachar n'a pas vu cette pièce quand il est venu passer la première nuit dans le pavillon. Il n'avait aperçu que des endroits sans caractéristique particulière, sans aucune étrangeté. Mais ici, le contenu disparate, le désordre de l'entassement des choses donne une connotation insolite à ce qui s'y passe.

Les jumeaux sont au milieu de ce fatras indescriptible. Ils se battent en riant. Du moins, c'est l'impression que Yachar et Ismïa ont en les voyant qui se prennent à bras-le-corps. L'un des deux jumeaux cherche à enlever le gilet de l'autre. Celui qui agit est déjà nu et s'est juché sur son frère qu'il retient fermement contre le plancher en tirant sur le tissu pour le lui retirer. Les deux se débattent, et ils rient. « Attends, je vais le faire. » C'est celui qui est couché qui a parlé. Mais il semble que le second ne l'entende pas de la sorte et qu'il continue à maintenir l'autre et à le débarrasser de ses vêtements. Il passe une main derrière lui et il fouille pour se saisir du sexe. L'autre se débat, cherche à se déprendre, crie qu'il lui fait mal, mais il continue à serrer. « Tu vas voir, je vais te défoncer. » Il entreprend alors de lui retirer sa culotte en agrippant la ceinture. Il essaie de la lui dérober en se roulant sur son frère. Les deux tiennent bon dans le combat. On voit qu'ils y prennent un réel contentement, juste à écouter le son qu'ils font. La demi-obscurité de la pièce recouvre chaque geste d'une étrange lumière. Et celui qui chevauche l'autre réussit enfin à le déshabiller.

On entend parfois tomber un objet. Le bruit ressemble au désordre lui-même. Les deux frères s'arrêtent quand, enfin nus et exténués, ils prennent un moment de répit. Leurs ébats cessent un temps. Leur ressemblance est confondante et subjugue Yachar et Ismïa. Ils sont bruns, lisses comme des pains cuits. Pas le moindre détail qui soit différent. Yachar se demande si, quand ils vont bander, les pénis auront la même grosseur, s'ils vont jouir en même temps. Il voudrait voir s'ils vont faire les choses de la même manière que son frère les lui a enseignées. Tant de questions se bousculent dans la tête de Yachar qu'il oublie de se demander si Ismïa est aussi intriguée que lui par ces deux formes identiques qui sont couchées en ce moment sur le sol et qui se montrent ainsi à eux, sans le savoir, en un abandon étrange.

Ismïa regarde pour la première fois les amours des hommes. Elle voit pour la première fois ce que vient de lui raconter Yachar à propos de son frère et de leurs jeux. Ça lui paraît saugrenu de s'étonner que les deux garçons de seize ans soient aussi bien faits l'un que l'autre, aussi à l'aise. Ils ont des sexes surprenants, énormes à côté de celui de Yachar. Ils sont faits d'une chair plus ferme et plus brune, ils ont des formes qu'on désire immédiatement, de façon saisissante. Et Ismïa sait que son attirance provoque en elle des brûlures intenses. Son sexe semble ainsi mis à vif. Elle respire plus vite, comme si elle participait elle-même aux jeux qui sont en train de se dérouler entre les frères qu'elle imagine sur elle au moment d'être prise, d'être baisée partout, de jouir. Et elle regarde Yachar, et elle est curieuse devant l'intensité de son regard. Elle croit comprendre qu'ils ressentent la même envie de se mêler à eux, d'être avec eux au milieu de leurs jeux et de leur beauté. Mais ils n'osent pas se faire voir. Ils veulent d'abord comprendre comment ça se passe quand ils sont ensemble, simplement.

Et l'un d'eux, qu'ils ne peuvent pas identifier vraiment, lèche son doigt et se met à triturer son anus, humectant la fente de son cul qu'il montre à son frère. L'autre se masturbe, éveille son sexe qui se tend vers les fesses dont il regarde en salivant la fente et le trou. Il met son doigt dans l'anus du frère et cherche à agrandir l'orifice, à se ménager un passage vers l'autre. Les jambes repliées sur son ventre, couché sur le dos, il montre aussi son sac rond et ferme. Le frère masse délicatement les testicules, fait des pressions sur les boules dures et, à sa guise, se masturbe pour que vienne en lui l'urgence d'être habité. L'autre approche son gland du trou du cul et le mouille de salive; il rend lisse le pénis qui s'engage dans la fente et qui va pénétrer les entrailles tentantes du frère couché. Il met le gland à l'ouverture et ressort, rentre et ressort, comme Yachar fait avec Ismïa quand le trouble provoque la tension. La tige entre les fesses du frère se met à fouir, à prendre le jumeau, l'identique qui entre en lui. À seize ans, ils sont libres et beaux, ils sont des découvreurs. Il pousse plus fort et pénètre, pousse et pousse encore dans le goulot serré qui l'étrangle. Et le frère s'ouvre un peu plus pour laisser pénétrer l'autre en lui, malgré sa souffrance. Ils sont au commencement du monde, et leur luxure est fervente en ce début des choses. Il va entre les fesses jumelles du frère abandonné, il creuse pour que le jaillissement explose. Il prend aussi, et en même temps, l'arc de son frère dans ses mains pour le faire jouir, pour que tantôt il éjacule pendant qu'il sera en lui. Il force le trou, il fouit la béance rouge des fesses pendant qu'en dedans, son propre jet n'en peut plus de se retenir.

Leurs gestes sont brusques, leurs amours rapides. On dirait qu'ils n'ont pas le goût de la bonté. Ils ne ressemblent pas à Yachar et à Ismïa. On dirait que ce qu'ils veulent est violent.

Le frère prend tout à coup les testicules de l'autre qu'il regarde juste au niveau de son pubis et il les presse, il les tord fortement pendant que le jumeau hurle de douleur. « Allons, crache, crache-moi ton foutre dans la main, viens. » La douleur est intense. Pendant qu'il gémit, il prend les fesses de son frère et entre ses ongles dans la peau. Il y fait des marques de sang. Les deux ensemble se mettent à crier. Ils se débattent. La verge laboure la chair du cul et le sexe fait mal. Le sperme monte dans les tiges mises à vif, le sperme vient enfin pour que la douleur cesse.

Et un cri effrayant indique à Yachar et à Ismïa que les deux frères s'arrêtent en même temps, avant qu'ils ne soient venus l'un et l'autre. Le sperme est toujours dans les testicules gonflés, il est sur le point de s'échapper, mais les deux frères attendent en gémissant. Ils suspendent leur délivrance, c'est leur supplice intime. L'un et l'autre crient. Ni l'un ni l'autre n'a relâché sa prise douloureuse. Les ongles sont rentrés dans les fesses saignantes et l'autre tient de sa main les bourses vives du frère. Ils ont mal et ne bougent pas. Ils se plaignent.

Et l'un d'eux crie «plus fort, viens plus fort». Alors, celui qui est dessus lâche le scrotum et prend la verge, la tire, la tire plus fort, le plus fort possible. Il essaie de l'étirer au point qu'il puisse se la mettre dans la bouche sans cesser d'habiter l'orifice du cul. Il tend et tire, et l'autre se démène. Ils ont mal, car ils voudraient jaillir, éclater tout de suite. Mais ils s'arrêtent. Il place l'ongle de son pouce juste à l'ouverture du gland, y met l'ongle et pousse. Il risque de couper la chair tendre, il risque de blesser réellement le frère qui délire. «Allons, crache ton jus si tu ne veux pas que je te fende jusqu'en bas, crache-moi dans la face.» En un délire de peur, le frère se laisse venir pour se délivrer de l'ongle qui le torture, il pousse de toutes ses forces, serre et serre ses testicules pour qu'en jaillisse la délivrance. Le frère enfonce son pieu entre les fesses de l'autre et il est si gros qu'on pourrait croire que l'ouverture elle aussi va se fendre en deux. Et ils éjaculent. C'est aussi cela, la torture, la certitude d'être effrayants l'un pour l'autre. Ils viennent se délivrer en se jetant du sperme plein la gueule. Le frère n'est pas resté entre les fesses de l'autre. À l'instant de venir, il est sorti et a giclé. Les spermes se mélangent sur le ventre, ils forment des îlots de liquides blancs et opaques. Les spermes sont là confondus.

Les deux frères retombent au milieu du désordre de la pièce, entre les caisses et les détritus. Ils sont sales et crottés. Ils sentent la sueur et la pisse mal lavée. «Tu n'y es pas allé de main morte.» L'un des deux a dit cela pour reprendre contact, pour que la douleur ne soit pas la seule chose qui reste entre eux. Ils ont mal de façon effrayante. Ils savent pourtant qu'ils vont reprendre le jeu dans quelques heures. Ça ne peut pas finir de cette façon. Et il faudra bien que celui qui était couché aille aussi mettre son vit entre les fesses de l'autre pour que l'équilibre soit parfait. «Ça fait du bien. Tu étais plus chaud que d'habitude aujourd'hui. Tu dois avoir de la fièvre.» Mais la seule fièvre que le frère se reconnaisse est celle du désir du sexe si semblable au sien, si pareil. «Ça t'a fait mal?» La question n'est pas vraiment sérieuse. «Qu'est-ce que tu crois?»

Il met alors ses orteils dans les cheveux du frère. Ils sont ébouriffés et frisés. La beauté des jumeaux tient aussi à cette harmonie des muscles et des membres. Ils sont l'équilibre même. Il prend soudainement le pied qui joue sur sa tête et le mord sans ménagement. L'autre a un tressautement rapide et se jette sur le frère qui lui fait mal. Ils se battent sur la sciure et les crottes de vermines qui jonchent le sol.

Yachar et Ismïa se regardent et reculent. La suite des gestes qui vont être posés ne les regardent plus, ils savent que le jeu qui se poursuit ne leur apprendrait rien sur leur comportement qu'ils ne sachent déjà. Ils se retirent sur les dunes près du pavillon en évitant le plus possible de faire du bruit. Ils vont reprendre leurs esprits, respirer le vent qui soudain soulève le sable et la terre du bord de mer.

«Ton frère te faisait ça aussi?» Ismïa veut savoir si le pénis du frère allait aussi entre les fesses de Yachar. Et la réponse l'inquiète sans qu'elle sache pourquoi. «Non, il me trouvait trop jeune pour ça. Il m'avait dit qu'il le faisait souvent avec ses amis, mais pas avec moi. Il m'a souvent regardé le cul, mouillé l'anus, mais il n'a joué là qu'avec la langue et ses doigts. Je ne sais pas ce que ça fait d'avoir une bitte là, pas encore.» Et Ismïa est heureuse de la franchise de Yachar. Elle sait qu'elle peut tout savoir de lui du moment qu'elle le demande, du moment qu'elle l'interroge.

Elle l'embrasse, un peu triste à la pensée que la ville n'est pas si loin, qu'il leur faudra bien y retourner s'ils veulent continuer à manger et à vivre.

«Allons, viens.» Ils redescendent le long de la plage. Ils ne savent pas qu'ils n'ont pas renoncé à revoir Czeslaw et Julia, qu'ils s'apprêtent à y aller maintenant. Encore bouleversés par ce qu'ils ont vu du jeu des jumeaux, ils se dirigent, la chose en étant décidée de tout temps, vers la maison rouge du bord de mer qu'ils auraient pourtant voulu ne jamais revoir. Alors Yachar va donner une raison au fait qu'ils y aillent. «Il faut bien qu'on récupère nos vêtements. Nous ne pouvons pas les laisser comme ça.» Et ils vont d'un pas de plus en plus pesant en direction de l'ouest pendant que le jour continue à sombrer, pendant qu'ils savent encore que le désir a une raison.

Ce trajet se fait sans conviction mais d'une façon fatale. Ils vont dans le sens évident des choses, sans renoncer à leur curiosité. Ils continuent leur chemin vers l'ouest pendant qu'il n'y a plus sur la plage que l'étrange fuite des petits crabes des sables.

Quand ils arriveront près de la maison, ils savent qu'ils n'auront pas à se cacher. Il leur suffira de pousser la porte pour que les choses soient en ordre. Mais ils ont peur, horriblement. Leur attirance est plus forte que leur crainte. Ils ne peuvent résister à la nécessité de venir jusqu'à eux, pour que les trois jours qu'ils sont en train de vivre soient un cadeau absolument plein de ce que le hasard leur offre.

Ils s'approchent et ont peur en l'apercevant. Elle n'a pas changé depuis la veille, mais les secrets qu'elle garde font une barrière entre eux et l'envie qu'ils ont de les pénétrer. Ils viennent lentement, et pas à pas ils arrivent tout près.

Ils voient alors sur le seuil les vêtements qu'on leur a pris. Ils en ressentent une joie intense, délivrés d'un poids terrible. Ils n'auront donc pas à revoir Czeslaw et Julia. Sans faire de bruit, ils s'approchent de la porte et prennent rapidement la blouse amarante, le pantalon et la robe perlée. Ils regagnent à toutes jambes le bord de la mer en face de la maison et puis, subitement, ils s'y arrêtent.

Yachar regarde Ismïa qui s'assoit sur ses talons et qui dessine des arabesques avec la coquille vide d'une huître. Il s'accroupit à son tour et ne dit rien. Il sait. Elle sait aussi que ça ne leur est pas possible. Elle regarde avec anxiété la maison rouge. Elle scrute du regard les portes closes, les fenêtres, les murs. «Tu crois qu'on pourrait...?» Elle a fait cette suggestion à Yachar, si doucement qu'il comprend que s'il dit non, rien ne sera changé entre eux, que la suite sera toujours possible. Il sait aussi que s'ils ne vont pas à l'intérieur de la maison, ce même possible ne sera pas aussi complet, aussi parfait. Il leur faut apprendre tout du monde, ils se le sont juré. Or, ici, la peur est terrible de savoir aussi les choses secrètes et noires, le radical dérangement des sens.

Elle se lève et regarde longuement l'aspect sinistre et rouge des murs. Le sort va se mêler encore une fois de leur vie. Et elle se rend à la porte. Elle sait que Yachar suit, qu'il a dit oui à ce qui vient. Elle est certaine que rien n'est fermé à clé dans cette maison, qu'il leur suffira de pousser la porte pour y entrer.

Elle monte les marches avec hésitation, mue par une volonté supérieure à la sienne. En effet, elle ouvre alors sans difficulté et pénètre dans une maison nue, sans meuble. Seules, les pièces vides semblent abandonnées. Pourtant, on distingue au fond du corridor des claquements sinistres et un soupir. Ils s'engagent l'un derrière l'autre le long du couloir qui mène à la cour et c'est en passant devant la dernière pièce, près de la porte de sortie qu'ils sont certains de les entendre.

Ils se cachent, ils perçoivent des bruits terrifiants qu'ils ne réussissent pas à identifier. Quelle curiosité les a menés à savoir ce qui faisait ainsi gémir l'homme? Ils devinent à travers la cloison une souffrance étrange, une plainte particulière qu'ils ne rapprochent de rien de ce qu'ils ont déjà entendu. Elle tourne sans bruit la poignée de la porte qui les empêche de vraiment distinguer ce qui se passe et elle l'entrebâille.

Là, ils restent stupéfaits devant ce qu'ils voient. La pièce est aussi nue que les autres, mais divers instruments jonchent le sol. Les solives sont ici apparentes et, entre deux d'entre elles, on a placé une barre de fer, sorte de trapèze insolite. Czeslaw y est pendu. Fermement maintenu par des lanières de cuir, il est suspendu à la barre, attaché par les poignets déjà en sang, les jambes remuant au-dessus du vide, prisonnières de grosses menottes de métal. Il se balance comme un pantin, il est nu et il souffre visiblement beaucoup.

Devant lui, se trouve Julia. Elle tient dans sa main une sorte de petite pince d'acier. Elle est en train de l'ajuster à la poitrine de Czeslaw, de l'accrocher à la pointe du mamelon. Quand les crocs pointus se referment dans la chair, il hurle. Il attend, exsangue, les yeux hagards, que Julia vienne lui placer l'autre pince sur le second sein. Il regarde s'ouvrir les dents du petit engin et a un mouvement de recul. « Non, attends, j'ai trop mal. » Mais elle rit, elle presse même un peu plus fort sur les crocs d'acier pour qu'ils entrent bien dans la peau.

Yachar et Ismïa sont pétrifiés. Ils tiennent la porte grande ouverte, mais ils ne peuvent pas partir. Ils sont là à regarder Czeslaw qui souffre et ils sont envoûtés par les marques de douleur sur le visage, par le sang qui coule un peu sur la poitrine. « Tais-toi. » Et Julia lève le bras quand elle aperçoit les deux enfants apeurés près de la porte. « Vous arrivez bien tard. Nous vous attendions. Mais nous avons commencé sans vous. Allez, poussez-vous, n'ayez pas peur, nous ne vous ferons rien. » Julia a dit cela avec une exquise douceur, avec ménagement. « Vous le voyez, le pauvre. Il ne peut même plus bander. Il est paralysé de peur. Il ne sait jamais jusqu'où je peux aller. » Et elle rit.

Elle se penche et, parmi les objets étranges qui jonchent le sol, elle choisit un cordonnet de cuir brun et souple. Elle s'approche de Czeslaw, se penche et prend les bourses entre ses mains. Elle passe alors le cordon sous le scrotum et enserre les testicules. Czeslaw cherche à se dégager de la prise, mais Julia tient le sexe à pleine main. Ainsi, elle empêche Czeslaw de faire tout geste brusque. Elle passe délicatement le cordon et fait un nœud, tendrement, lentement, avant de serrer, de faire un petit sac ficelé des bourses de Czeslaw. Ensuite, elle fait glisser le long du pénis un anneau de métal qui s'ajuste au pénis, qu'elle pousse jusque dans les poils de la touffe de l'homme. Elle entreprend de lui placer un second petit anneau d'acier sur le bout du gland. Les enfants imaginent qu'elle perce à vif la chair meurtrie. Ils ne savent pas que déjà l'orifice attendait l'anneau d'esclavage. Et là, elle le fait pivoter sur lui-même pour qu'il montre bien son derrière en sueur. Tous les poils du fessier sont mouillés par la peur qui étreint Czeslaw. Elle a choisi une matraque de cuir en forme de pénis érigé. Elle fouit entre les fesses, sans ménagement, elle insère dans l'anus l'instrument de torture. Elle fixe le godemiché au cul mis à sang et laisse pendre ce qui n'a pas réussi à pénétrer. On dirait une queue raide et ridicule qui sort d'entre les fesses de Czeslaw.

Julia prend alors le manche qui ainsi dépasse et s'en sert comme d'une poignée pour faire tourner l'homme, tourner et tourner encore. Czeslaw est de plus en plus étourdi. Il supplie Julia d'arrêter, dit que le cœur lui lève de plus en plus. Il ne peut plus se retenir et il vomit sur lui, laisse la glaire jaillir de sa bouche. Il est si faible qu'il pend plus misérablement que tantôt au bout de ses liens. Il a vomi de la bile et des restes de nourriture. L'odeur devient insupportable. Grotesque et répugnant, Czeslaw se met à pleurer entre deux hoquets, mais il est une roue, une baudruche sous la poussée insensée de Julia. Les bras lui font mal, il souffre d'échauffement, d'élancements violents au cou, aux muscles.

Julia entreprend maintenant de le harnacher. Elle lui a passé au cou un collier de cuir d'où pend à l'arrière une longue lanière. Julia va l'attacher au premier cordon qu'elle a resserré autour du scrotum. Ainsi, chaque fois que Czeslaw cherche à pencher la tête en avant pour voir ce que Julia va lui faire, il se trouve à tirer fortement vers l'arrière ses testicules pris au fil qui lui descend le long du dos, qui passe entre ses fesses et qui s'accroche à son sac. Ça lui fait un mal terrible chaque fois qu'il tire ainsi sur ses bourses vives. Il a la sensation qu'il est en train de se les arracher lui-même.

Julia installe alors sous les lanières des poignets et du cou de fines petites tiges de métal pointu, sorte de petits éclats barbelés qui entrent terribles dans la chair comme des cilices. Czeslaw saigne lentement.

La torture ici est contrôlée à la perfection. Julia enfile un très fin gant de crin. Elle l'enfile en tenant sa main très haute pour que Czeslaw la voie bien, pour qu'il n'ait pas tout de suite à s'étrangler ni à tirer bêtement sur ses billes endolories. Elle glisse la main dans le gant pendant qu'il se met imperceptiblement à trembler.

Les enfants sont si horrifiés qu'ils se sont accroupis à l'angle de la pièce en regardant la scène sans y croire vraiment. Ils ne comprennent pas pourquoi Julia est si effrayante. Pourquoi Czeslaw a-t-il consenti à se faire accrocher comme une viande de boucherie ? Ils n'en peuvent plus d'étonnement. Et le tremblement si faible de Czeslaw les gagne eux-mêmes, avive leur peur affolée. Ils voient Julia qui passe doucement le gant, ils devinent la peur de l'homme, mais ils sont fascinés.

Yachar n'a pas remarqué que lui-même bande, perdu dans ses pensées et dans son trouble, que cette activité le perturbe entièrement d'agitations secrètes. Il bande de voir le sang couler, il bande en imaginant la tempête qui produit la souffrance de Czeslaw.

Ismïa aussi est en transe. Elle regarde le pouvoir de Julia, l'équilibre invraisemblable de Julia, et c'est une révélation. Elle aime son air calme, la certitude du mal qu'elle inflige à l'homme, le plaisir évident que cela lui cause.

Les deux enfants sont éblouis par la misère de l'homme, par la férocité inattendue de la femme devant eux.

Quand le gant est ajusté, que chacun des doigts s'y est enfilé calmement, elle place sa main bien à plat sur la poitrine de l'homme. Elle accroche en passant les anneaux qui percent les aréoles et elle s'y arrête. Elle tire, elle tire jusqu'à ce que la douleur soit insoutenable. Un anneau à la fois, l'un après l'autre, elle tire, elle fait jaillir une goutte de sang qui perle sur l'acier. Et elle presse la poitrine, l'écorche au passage. Elle frotte la peau, et force la main, frotte et fait rougir le sang, enfonce et pétrit, tire sur les anneaux, glisse la main plus bas, frotte et frotte jusqu'à exacerber la sensibilité de la peau de Czeslaw. Et elle descend jusqu'aux poils au bas-ventre. Elle referme alors la main et tire, tire l'homme par les poils du pubis en le faisant balancer. Il a le triangle en feu, il renverse la tête vers l'arrière, étouffé par la lanière de cuir dans son dos, par l'étirement des testicules qui sont pris à leur lacet. Elle saisit à pleine main le poil et tire et tire sans cesse. Elle arrache et tord et fait gémir.

Et puis elle lâche enfin. Le sac libère alors sa pression. Mais Julia n'attend pas. La voilà qui se cabre, lascive, sur le corps de l'homme. Elle passe ses seins sur le plantoir, sur les fesses. Elle l'embrasse, lui qui souffre, et elle se frotte à lui, serpente. Elle n'est plus qu'une concupiscence lisse, une flamme extrême qui écorche la peau de l'homme. Elle l'embrasse et le suce pendant que de sa main gantée, elle lui râpe les fesses. Elle souffle fort, elle boit sa sueur, macule ses cheveux à la vomissure qui le couvre. Ses pieds pataugent dans la fange, et l'odeur âcre et repoussante participe à la révulsion même de l'instant. Elle a pris le pénis. Elle regarde le prépuce qui couvre le gland. Elle voit qu'il va lui falloir dégager le bourgeon de Czeslaw, que ce sera un travail paisible. Elle se baisse et mord le prépuce, y fait une marque horrible. Elle retire le petit anneau qui pend sous le gland, elle l'arrache presque. Elle passe la main sous lui et presse, elle remonte jusqu'au pénis et, de la main couverte du gant de crin, elle entreprend de libérer le gland, de faire surgir la tête vers son propre délice. Et elle se met à presser d'abord délicatement avec la main gantée, puis elle tire et pousse, puis elle râpe jusqu'au sang tendre du pénis si gros que les enfants ont peur. Le corps entier de Czeslaw est souffrant. L'organe bande comme une tige rougie. Elle fait venir le maximum de tension dans le butoir de l'homme, elle le pousse à bout.

C'est alors qu'elle se pend à lui, qu'elle se soulève et qu'elle l'enserre. Et de la même manière que la veille, elle prend l'homme entre ses jambes repliées en ciseaux. Elle monte sur lui, agile et souple, elle se soulève pour que le sexe de Czeslaw s'ajuste au sien, la pénètre. Czeslaw hurle de douleur d'être ainsi pendu par les mains depuis

si longtemps et de subir un double poids. Il bande for-
cené et entre dans la chaleur exacerbée de Julia qui lui
crache au visage, qui se colle aux vomissures et aux
glaires qu'il a régurgitées. Elle l'embrasse pendant
qu'elle le prend, qu'elle s'empale. Elle hurle de convoi-
tise, elle soupire d'aise ainsi balancée, attachée à lui.
Alors, les coups de foutre sont rapides, effroyables. On
dirait que la douleur entraîne Czeslaw dans des soubresauts de supplicié. Julia hurle de bien-être en lui frottant
et lui râpant la peau. Elle tire sur le cordonnet de cuir qui
lui pend le long du dos, elle coupe le souffle de Czeslaw
en lui donnant l'impression de lui trancher les testicules.
Et elle se met à jouer avec la matraque de cuir qu'il a
enfoncée entre les fesses. Le tournis des chairs les fait
râler. Les enfants sont si effrayés qu'ils restent figés
devant cette douleur évidente. Et Czeslaw éjacule de
folie dans le vagin de Julia. Elle s'agrippe à lui, replie la
tête sur sa poitrine, succombe. Chacun crie de façon continue et pathétique.

Monte au cœur de la pièce une plainte continue et
sourde. Les deux corps sont ébranlés par des soubresauts
et des hoquets. Ils sont visqueux et sales, repoussants
pendant qu'ils sursautent comme des pantins désarti-
culés. Et rapidement, Czeslaw débande à cause de sa
misère et il libère la femme de son pieu dressé.

Elle retombe alors sur le sol, épuisée. Il lui faut une
volonté surhumaine pour se remettre debout, pour aller
libérer les bras de Czeslaw qui bave au milieu de sa
peine. Il titube, malade, mais il lui faut tenir bon encore
un instant. Il doit retirer le godemiché inséré dans son

cul, il faut qu'il s'en libère avant de pouvoir se laisser tomber sur le sol, sanglé de cuir et meurtri par les cilices toujours fichés sur lui. Mais il est ailleurs. Pour l'instant, il est à sa douleur merveilleuse, accaparé par une jouissance aiguë qui le trouble.

Les enfants n'en peuvent plus du sang et de l'odeur. Ils n'en peuvent plus de cette jouissance folle qui fait chavirer le monde, qui crée des doutes et des dangers. Ils sortent de la pièce, laissant là, dans le vide insolite de cette maison, le couple fou dont ils ont peur. Ils ont vu la souffrance confondue au plaisir. L'horreur qu'ils en ressentent est sans nom. Ils voudraient nier ce qu'ils ont vu, ils voudraient que tout cela soit faux. Ils se sentent détruits, comme si les deux jours qu'ils venaient de passer ensemble s'abîmaient tout entiers à cause de cette atrocité. Ils ont la certitude de ne jamais succomber à de pareilles aberrations. Ils ont déjà peur d'eux-mêmes pourtant. Ce travail du mal les anéantit, saccage tout ce qui fut entre eux l'indice du commencement des choses. Ils sortent de là absolument différents, partagés. Ils souffrent insidieusement de ce que le malheur ait parfois un tel visage. Il faudrait que les minutes ne se comptent plus, que tout s'arrête un instant, que tout recommence à nouveau. Mais ils savent l'impossible de tout ceci. Ils ont la mémoire blessée et devant les yeux du sang et de la violence. La torture les a rejoints.

Ils sont sinistrés en sortant de là et rien ne leur permet de croire qu'ils vont être ramenés à eux-mêmes. Ils regagnent le bord de l'eau. Ils reprennent leur souffle égaré. Rien de ce qu'ils ont vu ne leur semble possible, mais l'inquiétude dans laquelle ils vivent cet instant précis du retour est trop réelle. Ils regardent les vagues qui leur paraissent accablées par la nuit, par ce qui vient de se produire.

Ils se penchent et reprennent les vêtements qu'ils avaient oubliés là. Ils ne courent même pas en longeant ainsi la mer et le soir venu. Ils vont plutôt tristement, suffoqués par la méprise à laquelle ils ont assisté. Ils ont laissé Czeslaw et Julia dans ce moment difficile. Ils ont quitté la scène. Et tout en marchant, ils s'imaginent ailleurs, déjà rendus en un autre lieu, en train de participer autrement à ce qu'ils ont décidé de vivre. Le couple achève sans doute de se torturer sur le plancher de la pièce, mais eux, sur le sable, ils ne parlent pas. Ils ne veulent pas croire que cette tension soit aussi due au corps et au plaisir.

Pour l'instant, ils repensent à ce qu'ils ont vu, à Czeslaw et à Julia, au couple des jumeaux. Tout se bouscule. Ils auraient aimé ne songer qu'à eux-mêmes, qu'à ce qui leur est arrivé d'extraordinaire durant les trois derniers jours, mais l'image des corps exacerbés, cette image du sang ou du mal fait une ombre dans leur tête, fait écran à la ville elle-même.

Ils sont immobiles pour arrêter l'heure ou le souvenir. Ils attendent, et cette attente est pénible, isolée. Aujourd'hui, la rue leur soulevait le cœur, tendait ses senteurs en un bouillon violent. Ils n'ont pas été pris par le sortilège des émanations de la ville, du bruit et de la circulation. Le regard fixé sur le sol, ils éprouvaient, malgré le bouleversement coutumier de ce cloaque, une sorte de nausée insidieuse qui retournait leur ventre.

Et dire qu'avant leur fuite vers la mer, tout cela les enflammait de joie. Toutes ces odeurs de cannelle et de camphre, d'anis et de muscade les étourdissaient. Tout ce transport automobile, cette cataracte des moteurs et des klaxons les faisaient délirer dans leur cacophonie. Tout ce manège incroyable des marchands et des acheteurs, des femmes au marché, des enfants qui s'enfuient, tout ce va-et-vient les rendaient à l'enfance, à l'étonnement devant la variété invraisemblable des activités urbaines. Ils avaient été ravis par tout cela, transportés de joie à l'idée d'habiter cette ville aux allures de foire perpétuelle.

Aujourd'hui, ils en ressentent un profond écœurement. Il faut qu'ils survivent, qu'ils respectent cette exigence de ne pas bouger, d'être toute attente, jusqu'à ce que le soir revienne. Ils ont voulu rentrer tout de suite parce qu'ils avaient peur de se retrouver parmi la foule, sachant qu'ils n'allaient plus entendre l'agitation de la mer et des vagues et du vent et des oiseaux. Ils ne voulaient pas s'étourdir à travers l'exaltation innommable des crieurs, des chants répétés des boutiques et des étals. Ils cherchaient à déjouer le mauvais sort, le mauvais œil.

Mais à cause de la mer des derniers jours, ils doivent refaire cet apprentissage du monde, de leur chambre. Ils se sont rendu compte en entrant que l'endroit où ils vivaient ressemblait étrangement au débarras des jumeaux. Ils ne s'étaient pas avisés jusqu'à maintenant de la saleté repoussante du lieu. Les résidus qu'ils ont entassés dans un coin exhalent une odeur rance et morte. Mais ils voient ce désordre comme une chose normale, comme ce qu'ils ont de plus précieux. Rien ne saurait être jeté, il leur faut garder ce qu'ils ont trouvé et qui leur sert de décor depuis le premier jour. Ils tiennent au vieux matelas de crin maculé qu'ils ont ramené de la décharge publique, à la lampe qui fuit et qui sent l'huile, au pot à eau, à la couverture de vieux poils.

Ils se sont écrasés littéralement sur la paillasse et ils attendent que la parole leur revienne. Ils savent que ce silence ne saurait durer, ne pourra envahir l'espace plus longtemps. Et quelque part, pendant que le noir qui couvre peu à peu les objets devient opaque, ils entendent un hululement profond, quelque chose qui tient de la plainte et de l'émotion. Il se met alors à pleuvoir, et ce bruit d'eau insolite leur rappelle la mer de ce matin, les jeux et le plaisir.

Ismïa regarde Yachar. Elle retrouve enfin la volonté de voir. «Il faut que cette bataille ait été vraie pour que nous ayons eu si peur.» Car ils ont pensé aujourd'hui que l'affrontement avait été irréel, qu'ils s'étaient mépris dans leurs souvenirs. Mais Ismïa sait que ce qu'ils ont vu ne dépendait pas des songes, qu'ils avaient bel et bien connu ces autres fous sur le bord de mer, qu'ils avaient approché ce qu'ils ne croyaient pas possible de la passion. «Il faudrait recommencer à neuf. J'aimerais te connaître de nouveau, comme jamais.» Mais ils savent aussi qu'ils ne peuvent pas reconstruire le monde, que les jeux sont bel et bien faits entre eux, que quelque chose d'irrémédiable s'est brisé dans leur conscience des choses.

Elle s'approche de Yachar et se colle à lui. «Il faudrait que je sois une femme à nouveau.» Yachar ne sait pas s'il pourra contribuer à cette sensation précise, mais il saisit que sa curiosité pour elle est aussi vive. Il est convaincu que, dans quelques minutes, il sera en elle, que son besoin d'elle va exiger sa présence. Mais leur jeu va s'inscrire d'une autre façon, peut-être dans l'oubli des choses, pour chasser le réel qui l'afflige.

Yachar regarde la beauté d'Ismïa au fond des yeux; mais il en évalue aussi la richesse grâce au dessin de ses membres, au froissement de sa tunique, à cette façon qu'elle a de se placer près de lui comme une louve, comme une femme. Elle s'accroche à sa djellabba qu'elle cherche violemment à enlever. «Chasse tout de mon esprit, il faut que je te retrouve.»

Et Yachar veut calmer les gestes d'Ismïa, veut que ce soit seulement la douceur des choses que les mouvements provoquent. Il la prend à bras-le-corps, met sa tête sur ses seins. «Ton cœur est là qui cogne. Ismïa, j'entends comment tu t'excites ici sur moi.» Il l'embrasse et la déshabille petit à petit, centimètre par centimètre, interminablement. Chaque parcelle qui se dégage, il l'étreint, la lave avec sa langue, chaque partie qui se met à nu fait surgir le geste. Il identifie chaque coin, chaque repli. Il les nomme pour les faire exister à ses yeux, pour que la peau ait du sens, pour que se lève en lui, en même temps que la passion, le jeu des gestes qui l'apprivoisent. Il faut retrouver la force de revoir cette jeune fille en saisissant l'euphorie tranquille du soir qui tombe.

Et il enlève sa djellaba, se montre devant elle. Il a toujours douze ans et la cherche. Il se montre pour que d'eux renaisse aussi ce feu d'avant. Ismïa regarde Yachar, sa nudité si fragile, et elle sait que c'est lui qui l'a habitée avec tant de finesse durant les dernières heures.

Elle pleure. Elle vient peut-être de perdre en même temps quelque chose de totalement essentiel, une partie de son âme, comme le lui avaient si souvent répété ses grand-mères. Elle est dévastée par son ignorance des réelles cruautés du monde. Elle ne comprend plus le passage des oiseaux, le louvoiement des poissons. Ses rêves ont changé de sens, s'égarent.

Et leur animation se fait calme, si calme que cette façon de faire leur semble inimaginable. Aucune urgence n'exige plus d'eux de forcer les choses. La quiétude de la pluie et du soir rend les gestes plus simples. Elle se couche pendant qu'il s'étend sur elle. Ils s'attendent. Ils se regardent et s'embrassent. Ils se laissent se chercher l'un sur l'autre. Ils prennent la patience qu'il faut pour que surgisse le désir.

C'est très délicatement qu'Ismïa ouvre les jambes. Yachar tombe entre elles au creux d'une fosse largement ouverte, après le tremblement des muscles. Il est enchâssé entre les jambes d'Ismïa et il attend patiemment que son organe s'érige.

Pour l'instant, la douceur des lèvres et des baisers leur appartient. Ils sont submergés par le calme instant d'attendre que la pulsion à son tour parle. Ils sont parvenus à un moment d'extrême attachement, à ces secondes si fragiles qui précèdent l'amour. Le corps attend le corps, subtilement, réalise une étreinte faite de douceur et de langueur.

Yachar retrouve sur sa peau l'atmosphère du pays, sa chaleur humide, le froid profond des nuits désertes. Il ne pleut plus maintenant. Peut-être ont-ils rêvé à cette eau sur le toit ? La seule chose que Yachar entende actuellement, c'est le souffle d'Ismïa qui se mêle au sien, alors qu'il lui parle de courbes animées et de sexes profonds. Il lui raconte ce que son vagin contient de souplesse, de moelleux et de liquide. Il essaie de lui dire comment son pénis se tient au creux si intense de ses lèvres, quelles sensations indescriptibles l'occupent alors. Il voudrait qu'elle sache, comme lui, combien cet antre contient de régals suaves, de délicatesse immergée. Il essaie de lui dire le délire de la pénétrer, de retrouver sa chaleur l'envahir tout entier, comment elle modèle une enveloppe à son sexe enfoui. Mais il a de la difficulté à croire que cela soit possible pour elle de bien saisir la sensation de la peau tendue, du resserrement si intense du col et des muscles. « Je t'habite aussi profondément que tu existes. Peut-être est-ce l'image qu'il faudrait employer ? C'est la certitude de savoir que tu vis que je ressens dans ma verge quand je suis en toi. » Ismïa croit comprendre cette impression d'homme qu'il essaie de traduire, elle croit deviner que la sensation qui est la sienne ressemble à sa propre émotion devant chaque partie de son sexe. Tous ses anneaux tiennent fortement le contour du pénis, comme si la cavité de son ventre, une fois pleine de lui, retrouvait une forme essentielle et ferme. Elle sait aussi que Yachar est en vie chaque fois qu'elle le sent grossir en elle, qu'elle perçoit chaque montée de sperme à travers le conduit de son vit. « Je ne peux pas moi non plus te dire ce que tu habites quand tu existes. »

Elle se colle à lui, se fait boule de chair souple entre ses bras, elle se creuse un abri du ventre et de ses muscles. « Tu vas venir tantôt et je t'aimerai. » Mais ça, Yachar le sait, en est certain. Ce qu'il lui faut, c'est la dérive loin des souvenirs si vifs d'hier et d'aujourd'hui. Il faudrait qu'il chasse de son esprit ce qui s'y est inscrit de puissant et de violent.

Il faudrait qu'il sache faire venir en lui la même effusion des jours passés, cette même inclination à être reposé et soumis. C'est cette impression précise qui vient d'apparaître dans l'attitude d'Ismïa quand elle s'est blottie sous lui, c'est aussi cette forme de tendresse, cette affection elle-même qui s'inscrit par la manière arrondie du dos et de la nuque, par le silence et l'œil fermé, par la bouche qui embrasse son torse, le mouille, l'engendre, et par les mains qui palpent le pénis. Elle ouvre un peu les jambes et met ses doigts près de l'antre. « Il faut que mon creux, ma grotte soit d'une douceur d'ange, d'un raffinement de harem. Il faut que mes gestes t'entraînent sur les crêtes des vagues ou sur les retombées marines. Il faut que tu suffoques sous la poussée, le chavirement empressé de mes mains. »

Il regarde Ismïa qui devient la femme et la louve et l'ibis bleu du rêve réinventé. Elle prend des poses de souveraine et tend ses bras pour que l'heure de Yachar soit enfin venue.

Il regarde son sexe dressé, toujours étonné qu'il réponde. Il se remet entre les jambes d'Ismïa, place son gland devant les lèvres si jeunes et il entre en poussant, en écartant les poils, les lèvres huilées par ces liquides onctueux que tantôt il avalera. Il entre en elle déjà si gros que ce qui s'est exacerbé en eux depuis hier semble en un seul instant gonfler dans la démesure.

Il aurait le goût de bouger violemment en elle, de la râper de son pieu, de ravager le lieu si doux qui le reçoit; il aurait des envies de violence sauvage pour que sorte de lui la colère et l'amertume des dernières visions, mais il reste serein devant l'illusion de cette nuit naissante. Il faut sans doute que la tension passe ici par la violence du calme.

Il se retient de hurler en la pénétrant. Et Ismïa se garde de trop serrer la dague de Yachar, elle tend la douceur immobile qui la comble. Et dès le premier mouvement de Yachar qui cherche à frotter son pénis aux cavités intérieures d'Ismïa, elle l'en empêche. «Ne bouge surtout pas.» Et chez Yachar, c'est le délire invariable, la jouissance extrême de la jeune fille qui l'habille ainsi de son monde. Chaque muscle du vagin d'Ismïa le masse, l'enrobe. Elle provoque une érection immense juste à presser ses lèvres, à rétracter ses muscles autour du pénis. Yachar croit devenir fou de cette souplesse inattendue du sexe d'Ismïa. Elle a le pouvoir de le sucer là, sans bouger ou presque, dans cette extrême nudité qui est la leur, dans la sueur infernale qui les rend fragiles et doux.

Et imperceptiblement, Ismïa imprime à leur engourdissement un très léger tangage, un va-et-vient latéral qui rend marine la surface du sol, qui rend étourdissante cette immobilité aqueuse. Ismïa, savamment, refait le

154

monde par le balancement de son bassin, elle tire de Yachar des plaintes d'une extraordinaire finesse. Elle est souffle et vague, délirante et fondue. Elle va d'un côté à l'autre, doucement, avec cette fermeté qui ne cesse de surprendre Yachar.

Il est en elle, inactif et bandé. Il l'habite pendant qu'elle le promène ainsi qu'un ballon-sonde. Il faut qu'il se retienne de pleurer tellement est bonne cette sensation extravagante de son inactivité en elle, de la fermeté de ses muscles sur lui.

Et tout à coup, il revoit les seins de Julia qui s'approchent du dard de Czeslaw attaché à la poutre. Et c'est fulgurant. Il bande encore plus. Il pense au sang et au fouet, il pense à la souffrance de Czeslaw, et son gland devient plein d'un picotement ardent et fou. Il bande de plus en plus dur en pensant à la douleur et aux supplices. Il n'ose plus ouvrir les yeux à cause de la douceur d'Ismïa. Il est foudroyé par cette certitude qui lui vient d'avoir aimé ce qu'il a vu, d'avoir envié cette chose incompréhensible de la souffrance aiguë et amoureuse. Il sent monter en lui un devoir impératif de les imiter, d'être comme eux, malgré son amour pour elle, de revenir voir leur décor, leur cérémonie. Il bande à n'en plus finir, excité en imaginant ce que pourrait être sa propre torture, son propre délire.

Mais elle aussi, comme entraînée intimement par les pensées de Yachar, revoit Julia qui perce le gland de l'homme. Elle la voit les lèvres humides devant les testicules qu'elle étrangle du lacet de cuir. Elle aussi est chavirée par la tension insoutenable qui régnait dans la chambre. Il faut que Yachar bouge, la défonce. Mais toujours le retient la ferme pression de son vagin. Elle est boule-versée par cette vision prégnante du pouvoir de Julia, de ce qu'il y aurait de satisfaction à être ainsi la maîtresse de jeux clandestins. Elle veut cacher à Yachar ce trouble inavouable du plaisir ressenti.

Ils ne se regardent plus, ils se fuient. Ils ne se disent pas que pour la première fois d'autres rêves les solli-citent, qu'ils se trahissent à travers le délire des autres. Ils sont soudés l'un à l'autre et cette suave paralysie entretient entre eux des rapports de force. Ils sont con-fondus, leurs sexes trempés, et c'est un genre de folie qui les gagne, un délire des fesses, des peaux, des mains, de ce par quoi ils se reçoivent et se pressent.

Il faut que Yachar éjacule, au fond du vagin d'Ismïa avec une violence insoupçonnée. Il voudrait que ça ex-plose comme des grenades, des flèches d'odeur et de bruit. Il faudrait qu'il ait un fouet qui la vivifie, qui la ressuscite.

Et il l'entend qu'elle lui hurle d'attendre. Et c'est là qu'il comprend qu'elle est en train de le lacérer. Il a les fesses en sang. Il le sait à la chaleur âcre du liquide qui lui coule sur les testicules. Elle laboure ses fesses de ses ongles acérés, de cette même manière que les jumeaux faisaient entre eux. Il éprouve la douleur brûlante des plaies qui lui marquent la peau, mais il ne dit rien. Il bande et bande toujours, et toujours il essaie de rester pétrifié dans Ismïa. Il souffre quand le sang coule, quand il fait un léger soubresaut des fesses. Elle continue et con-tinue encore. Mais tout à coup, elle cherche à glisser une main entre leurs deux pubis collés pour aller manipuler les organes soudés l'un à l'autre. Et Yachar a peur. Il dit à Ismïa de ne pas faire ça, d'arrêter. Mais elle fouit, elle insiste. Yachar comprend qu'il le veut aussi, que le mal qu'elle lui fait est aussi son propre destin. Et il relève le bassin. Le pénis s'est légèrement déplacé dans le fourreau d'Ismïa et c'est le délire et la fulgurance. Juste ce très léger mouvement du gland l'a suffoqué. Et il sent alors les ongles d'Ismïa qui se saisissent de son pénis, qui y font une pression folle. Il lui dit que c'est bon et la supplie de continuer. Elle imprime à son vagin une légère rotation qui suce et aspire le pénis de Yachar. Le sperme gonfle le sexe, monte dans la tige, gonfle et monte, grossit le gland s'engorge et dégorge au milieu de l'antre habité d'Ismïa qui souffre elle aussi sous les morsures de Yachar.

Elle a l'épaule en sang et des bleus sur les seins. Elle se trouve meurtrie, épuisée. Yachar pleure et souffre. Il a le pénis en feu pendant que les ongles d'Ismïa le lacèrent. Il gicle et éjacule puissamment, foudroyant. Il la remplit à coups répétés. Et il sort d'elle furieusement, abattu. Tous deux pleurent. Ils débordent d'odeur et de sang. Quelque chose d'eux est passé au cœur de l'effroi.

Le soir n'est pas paisible et la ville hurle. Les camions font trembler le hangar sombre au fond de la cour. Ils sont couchés sur leur sang et sur leur misère, les bras chargés du projet de leurs corps. L'un et l'autre sont si désemparés qu'ils se retournent et fuient dans leurs rêves. Ismïa repense à l'heure de l'hymen quand son ibis bleu est passé sur la mer; Yachar revoit le sperme qu'il a répandu sur la plage quand il admirait les grands ciseaux ouverts des jambes d'Ismïa.

Cet ouvrage composé en Palatino corps 12 sur 16
a été achevé d'imprimer
en avril mil neuf cent quatre-vingt-douze
sur les presses des Ateliers graphiques Marc Veilleux inc.,
Cap-Saint-Ignace (Québec)